# Yoga
## diario

# Yoga
# diario

Secuencias de asanas
para hacer en casa y mejorar
la forma física, desarrollar la fuerza
y restaurar el organismo

## Sage Rountree

TUTOR

Editor: David Domingo
Coordinación editorial: Paloma González
Revisión técnica: Paloma de la Peña
Traducción: Luis Lanzas

Publicado por primera vez en inglés en 2015 por Velopress, en Colorado, U.S.A., con el título:
*Everyday Yoga. At-Home Routines to Enhance Fitness, Build Strength, and Restore Your Body.*

*Copyright* © 2015 *by* Sage Rountree
© 2016 de la edición española
   *by* Ediciones Tutor, S.A.
   Marqués de Urquijo, 34. 28008 Madrid
   Tel.: 91 559 98 32. Fax: 91 541 02 35
   E-mail: info@edicionestutor.com
   www.edicionestutor.com

Socio fundador de la
World Sports Publishers' Association
(WSPA)

Fotografías de Seth K. Hughes
Diseño gráfico: Vicki Hopewell
Diseño de cubierta: José M.ª Alcoceba

ISBN: 978-84-7902-995-1
Depósito Legal: M-36.743-2015
Impreso en Artes Gráficas COFÁS
Impreso en España – *Printed in Spain*

A Wanda y Roy Williams

# Índice

## 3

### Prácticas de yoga diario 116

## 4

### Organizar tu yoga diario 154

# Introducción

**Si puedes respirar, puedes hacer yoga.** | Dado que yoga significa unión —conexión de nuestra consciencia con lo que está sucediendo *ahora mismo*—, no tienes que levantar un dedo para hacerlo. Esto puede resultar un alivio para aquellos de vosotros que tembláis ante la idea de flexionar una rodilla en postura de loto (la cual no aparece en este libro) o hacer una torsión de brazos para adoptar una postura ligada como *Baddha Utthita Parsvakonasana* (que tampoco aparece). Pero practicar un poquito de yoga la mayoría de los días, ya sea a través de posturas, meditación o respiración, mejorará enormemente tu experiencia corporal y mental.

El yoga diario no es más que eso: yoga accesible y pensado para practicarse cotidianamente y ayudarte a sentirte más alegre y sano. En este libro, aprenderás rutinas y prácticas que desarrollarán la fuerza de tu zona media, la flexibilidad de tus caderas, la relajación de tu cuerpo y la concentración mental. Practicar yoga mejorará cualquier otra cosa que hagas, ya sea una competición deportiva, el cuidado de los hijos, hacer recados o sencillamente sentir tu cuerpo y ser tú mismo.

La Parte 1 presenta un planteamiento de menús para desarrollar tu práctica de yoga diario. Explicaré cómo prepararlo todo, desde un sencillo «tentempié» (una corta rutina de unas cuantas posturas que dura solamente unos minutos) hasta una «comida» completa (una larga rutina de varias posturas, más ejercicios de respiración y meditación, que dura más de una hora). También aprenderás pautas de sentido común para practicar el yoga sin peligro, incluyendo una fórmula sencilla que te ayudará a elegir una serie de posturas y rutinas equilibrada.

« El yoga diario no es más que eso: yoga accesible y pensado para practicarse cotidianamente».

La Parte 2 explica, mediante hermosas fotografías y claras indicaciones, cómo llevar a cabo una selección de rutinas bien equilibradas que ayuden a establecer y a evolucionar tu práctica diaria. Debido a que estas combinaciones son tan equilibradas como sencillas, sentirás que te basta con seguir una rutina al día. Esta práctica diaria te ayudará a mantenerte libre de lesiones y a sentirte fuerte en los demás esfuerzos físicos que hagas en el resto de la jornada.

La Parte 3 sugiere formas de combinar las posturas y rutinas de la Parte 2 para convertirlas en prácticas cortas o largas. Encontrarás prácticas para desarrollar la fuerza, mejorar el equilibrio y aumentar la flexibilidad, así como para ayudarte a relajarte y mejorar la concentración. La Parte 4 ofrece ejemplos de planes semanales y mensuales para ayudarte a establecer la frecuencia e intensidad correctas de tu práctica diaria.

A medida que te familiarices con este planteamiento y desarrolles tu repertorio, puedes improvisar con las rutinas para ajustarte a tu nivel de forma física, tipo corporal, tiempo que puedas dedicarle, personalidad y «apetito» que tengas. Algunas pistas de las rutinas te ayudarán a establecer tu nivel de esfuerzo y saber el apetito que tienes, tanto si es de algo picante como de dulce o condimentado. Por ejemplo, algunos días puede que tengas ansias de cosas más picantes: posturas de pie y extensiones de columna; otros días tal vez desees «meterte para

«Improvisa con las rutinas para ajustarte a tu nivel de forma física, tipo corporal... y "apetito". Desarrollarás un cuerpo más fuerte, flexible y resistente a las lesiones».

el cuerpo» posturas más dulces y relajantes, como las flexiones y torsiones reconstituyentes. Seguir una rutina te ayudará a sentirte satisfecho y relajado; disfrutando varias, ya sea practicando cualquiera de las dos opciones a la carta de la Parte 2 o una de las alternativas integrales de la Parte 3, desarrollarás un cuerpo más fuerte, flexible y resistente a las lesiones.

Al igual que aprender a cocinar pone en tus manos las herramientas para nutrirte a ti mismo, aprender a practicar el yoga en casa te proporciona los instrumentos para alimentar tu alma, ponerte más en forma y vivir saludablemente. El yoga no tiene por qué tener que practicarse en un estudio, y tú no tienes por qué dedicar 80 o 90 minutos a completar una rutina que te deje con una sensación de equilibrio, centralidad, fuerza y tranquilidad. Las herramientas para hacer yoga tú solo, a diario, están justo aquí en tus manos, en tu cuerpo y en tu respiración.

# Desarrollar
## tu práctica
# diaria

# 1

# Cómo
## usar este libro

Este no es un manual sobre cómo practicar yoga (para eso, debes estudiar en persona con un profesor experimentado), sino una guía de lo que puedes hacer, pensada para estimularte a practicar yoga a diario y a crear rutinas que te alimenten.

Sentarte a comer te ofrece la oportunidad de hacer más cosas que alimentarte. Comer activa los sentidos —el gusto, por supuesto; pero también el olfato, el tacto, la vista e incluso el oído— y por tanto te sitúa más plenamente en el presente. Ya estés comiendo solo o en agradable conversación con amigos, comer te da la oportunidad de conectar completamente con lo que está ocurriendo en el momento presente. Lo mismo cabe decir de la práctica del yoga, que es la razón por la que elegí plantear este libro en función de menús.

## Uso de las rutinas y prácticas

Las rutinas de la Parte 2 son una guía visual para crear tu práctica diaria, incluyendo algunas instrucciones. La Parte 3 demuestra cómo elegir del menú de opciones de la Parte 2 para crear prácticas largas o cortas. Algunos días querrás solo una rutina; otros, tendrás ganas de más. El equilibrio aparece cuando alternas entre prácticas cortas y largas, dando a tu cuerpo lo que necesita en cada momento.

Si eres alguien que aprende mejor visualmente, probablemente lo mejor será que consultes las figuras. Si tu fuerte es la capacidad verbal, usa las instrucciones; puedes complementar estas

«Este libro es una guía de lo que puedes hacer, pensada para estimularte a practicar yoga a diario y a crear rutinas que te alimenten».

someras indicaciones consultando mis libros *The Athlete's Guide to Yoga* y *The Runner's Guide to Yoga*. Si aprendes mejor cinestésicamente, puede que te gusten las grabaciones en vídeo de estas posturas, que puedes encontrar en http://sagerountree.com/shop/books/everyday-yoga/.

## Condimentarlo a tu gusto

Las rutinas de la Parte 2 incluyen sugerencias para modificar una postura y endulzarla, hacerla más picante o sazonarla a tu gusto. Uso estos términos en vez de indicar niveles o fases de la postura, porque tu mejor manera de hacer yoga depende totalmente de ti, no de ninguna idea externa sobre la postura o el ejercicio (ver opciones a continuación). Elegir la variante más dulce de una postura requerirá generalmente menos esfuerzo y resultará menos intensa; recurrir al picante calentará las cosas y añadirá intensidad. En algunos casos, las variantes no son más que eso: distintos sabores, no grados de intensidad, así que verás sugerencias para sazonar las posturas de manera distinta. Dependiendo de tu propia experiencia y constitución física, lo que a mí me parece picante puede que a ti te parezca suave; considera sencillamente estas sugerencias de modificación como el modo de introducir en tu práctica una gama de opciones.

**MÁS PICANTE**
Para complicar un poco las cosas, elige la variante más sabrosa.

**MÁS DULCE**
Encuentra más facilidad con las pistas de modificaciones más dulces.

**CONDIMENTOS**
Las sugerencias de condimentos dan un resultado que puede ser picante o dulce, dependiendo de tu cuerpo.

**«**Endulza una postura, hazla más picante o sazónala a tu gusto».

## Ritmo, respiración y movimiento

Al ajustar los condimentos de cada rutina de acuerdo con tus gustos, también puedes optar por introducir modificaciones, bien pasando dinámicamente de postura a postura varias veces antes de mantener una de ellas durante varias respiraciones, o bien fluyendo adelante y atrás entre posturas. El número de veces que pases fluidamente de una postura a otra y el tiempo que mantengas cada asana dependen de ti. De 5 a 10 respiraciones es el intervalo aproximado para fluir de una postura a otra, mientras que de 10 a 25 respiraciones es el intervalo aproximado para mantener cada postura. En posturas exigentes, puede que te apetezca o que necesites seguir adelante más rápidamente, pasando a la siguiente postura; en posturas relajantes, tal vez te apetezca permanecer en ellas más tiempo. Si optas por modificar las rutinas de este libro, tómate las indicaciones sobre respiración como sugerencias. Puedes experimentar para determinar lo que mejor funciona para tu respiración y tu cuerpo. Para hacer más picante una rutina, pasa dinámicamente de postura a postura varias veces antes de mantener una en particular durante varias respiraciones; para endulzar una rutina, pasa dinámicamente de postura a postura solo una o dos veces antes de mantener una de ellas.

Generalmente, cuando te muevas dinámicamente, inspira al elevar y espira al descender. Para pasos dinámicos en los que parte del movimiento sea más exigente, espira al ejecutar ese movimiento más difícil. Esto ayuda a activar los músculos de tu zona media para que sostengan y estabilicen la pelvis y la columna vertebral. Escucha a tu cuerpo y tu respiración, y encontrarás el mejor planteamiento de cada postura.

«El yoga es un sistema para lograr la conexión, y las posturas son solo un punto de entrada a esa unión. Otra es la respiración».

Por último, el yoga es mucho más que, sencillamente, hacer formas en el espacio. El yoga es un sistema para lograr la conexión, y las posturas son solo un punto de entrada a esa unión. Otro es la respiración, como también lo es la meditación. La Parte 2 concluye con algunos ejercicios de respiración y de presencia mental muy sencillos. Combínalos con las rutinas físicas, y estarás en camino de lograr una salud integral equilibrada.

# Pautas
## para practicar yoga

Cuando empiezas, con un planteamiento personalizado, a desarrollar tu práctica en casa, es importante repasar los componentes básicos y establecer buenos hábitos de yoga. Las pautas aquí descritas te ayudarán a desarrollar y transformar tu práctica de yoga en casa. Hacerlo con inteligencia y seguridad te permite crear y practicar rutinas que desarrollen tu forma física general, satisfagan tu apetito y te dejen contento.

## Alineación

Para aprender la buena alineación en cada una de las posturas, lee libros, ve vídeos didácticos, acude a clases introductorias en un estudio de yoga cercano, o reserva clases particulares con un profesor de yoga experimentado de tu zona. El estilo de yoga que estudies durante las clases presenciales constituirá la base de tu conocimiento de las posturas, incluyendo las normas generales de alineación para sus diversas expresiones. A la larga, tendrás que averiguar la mejor alineación en tu propio cuerpo, algo que la práctica en casa puede ayudarte a descubrir.

**Recuerda la postura de la montaña** | Las rutinas de este libro empiezan por lo general con una postura básica como la de la montaña (de pie bien erguido) o la de la mesa (sobre las manos y las rodillas). Antes de adoptar con tu cuerpo cualquier otra forma, recuerda los principios de la buena alineación en la postura de la montaña: pelvis nivelada, columna vertebral alargada, parte superior del cuerpo relajada. Constituirán la base de todas las posturas que hagas, y la buena alineación protegerá la columna vertebral y las caderas.

**Columna vertebral alargada** | Aunque las rutinas de este libro se centren explícitamente en hacer que la columna recorra un rango de movimiento completo, harás bien protegiendo la columna de movimientos extremos hasta determinado punto. En general, te conviene distribuir los movimientos entre las articulaciones de la columna, algo especialmente válido durante las extensiones de columna y las inversiones. Trata de evitar que la zona lumbar haga todo el trabajo, y tampoco dejes que la curvatura cervical del cuello se estire demasiado. Una manera útil de recordarlo es repetir para ti mismo «columna alargada» al entrar en la postura. Esta indicación te ayudará a proteger el cuello al extender la espalda, así como en las posturas invertidas, y a distribuir equitativamente el trabajo en la columna al hacer extensiones de columna, flexiones de tronco, flexiones laterales y torsiones.

**Las rodillas y los dedos de los pies coinciden** | A veces tendrás los pies orientados en la misma dirección, y otras uno de ellos o ambos estarán apuntando en direcciones distintas a la neutra o anatómica. Cuando los pies no apunten en la misma dirección, asegúrate de originar la acción desde la cadera, no desde los pies, para que la rodilla apunte en la misma dirección que los dedos del pie.

## Equipamiento

Empieza con el equipamiento correcto. Con un cuchillo afilado excelente, unas cuantas piezas de una buena batería de cocina y sal y aceite de oliva de la máxima calidad se pueden lograr mejores resultados que con una cocina llena de hojas desafiladas, cazuelas combadas y productos especializados poco conocidos. De la misma forma, cuando compres equipamiento para yoga, favorece la calidad y la versatilidad por encima de la cantidad y la función especializada.

**Esterilla de yoga** | Considerada normalmente una pieza esencial del equipamiento de yoga, la esterilla proporciona acolchado y tracción y ayuda a definir el espacio de práctica. El mercado está lleno de opciones, desde finas y ligeras hasta gruesas y pesadas. Si puedes, prueba tus opciones en una tienda especializada en material de aire libre o en un estudio de yoga. Si tu práctica implicará mucho tiempo en posturas supinas o pronas, puede que te convenga una esterilla más gruesa y esponjosa (para prácticas en esterilla me gusta la línea prAna ECO Pro). Para rutinas de pie y más dinámicas, una esterilla más delgada o más dura puede ofrecer mejor agarre (para las prácticas de pie me gusta la línea Manduka Pro).

Para practicar en casa no se requiere esterilla. Las posturas de pie pueden hacerse en el suelo, ya sea descalzo o calzado, y las rutinas cercanas al suelo pueden hacerse sobre alfombras, moqueta o hierba, tal vez con una toalla playera para protegerte. Si llevas calcetines al practicar en alfombras, moqueta o una superficie dura, considera la posibilidad de modelos con suela antideslizante.

**Bloques de yoga** | Los bloques te ayudan a desarrollar la flexibilidad acercando el suelo a las manos en posturas de pie y proporcionando apoyo añadido durante el trabajo en esterilla. Elige un bloque que sea firme, pero que ceda un poco; lo ideal es uno hecho de espuma pesada o de corcho. Puedes encontrar bloques de yoga en herboristerías, tiendas especializadas e hipermercados, así como en Internet (los bloques usados en este libro son de huggermugger.com). Ya que estás, compra dos.

**Correa o cinturón de yoga** | Se trata de un instrumento útil para desarrollar la flexibilidad. Compra una correa o cinturón tejidos de 2,5 a 3 metros con hebilla metálica en forma de D o de plástico, o hazte uno provisional con una corbata, cinturón normal o correa de perro tejida.

**Indumentaria** | Para practicar yoga a diario, no necesitas ninguna indumentaria especial. Elige pantalones largos o cortos que no restrinjan los movimientos. Métete la camiseta por dentro, o elige una tan ajustada que no se te meta en la boca un montón de tela cuando estés cabeza abajo.

## Conoce tus límites

Aunque tu crecimiento y progresos en yoga puedan depender de forzar límites percibidos, el desafío suele ser más sutil: hacer menos y relajarte más. A pesar de a lo que puedas estar acostumbrado en entrenamiento deportivo, al practicar yoga no debes experimentar dolor. Sé especialmente precavido con las molestias agudas en las articulaciones. Dependiendo de las rutinas que hagas, puedes notar el esfuerzo en los músculos cuando pongas a prueba tu fuerza, o al estirar, o cerca de los límites de tu flexibilidad. Igual que los cocineros pueden observar un termómetro para evitar que la comida se pase o se queme, tú dispones de tu respiración para ayudarte a graduar el calor que generas en tu cuerpo mientras practicas y a saber cuándo reducir la intensidad.

**Esfuerzo y relajación** | Trata de encontrar un equilibrio saludable entre trabajar lo suficiente y esforzarte demasiado. Para mantener equilibrada tu dieta de yoga, evita volverte goloso —recurriendo solamente a las rutinas fáciles— y, a la inversa, abusar del picante en todas las comidas. Si ves que sudas, resoplas y tienes que imponerte a base de fuerza para superar las posturas que te resultan exigentes, es procedente más relajación. Y a la inversa: si tiendes a no complicar nunca las cosas, considera la posibilidad de aumentar el reto. Usa las sugerencias dulces, picantes y de condimentos para ayudarte a dar con un buen equilibrio de esfuerzo y relajación, tensión y descanso, a lo largo de los días, las semanas y los meses.

«Trata de encontrar un equilibrio saludable entre trabajar lo suficiente y esforzarte demasiado».

# El equilibrio es la clave: el principio de 6-4-2

Busca en tu cuerpo el equilibrio, porque es la clave para prevenir lesiones. Una lesión aguda es el resultado de una caída o de un desequilibrio de fuerzas. Una lesión por sobrecarga es el resultado de algún desequilibrio en el cuerpo —entre parte anterior y posterior, izquierda y derecha, superior e inferior—. Un desequilibrio entre tensión y descanso puede provocar lesiones y crear problemas de humor que afecten a tu práctica. Una práctica cotidiana de yoga te ayudará a recorrer mucho camino en la dirección de encontrar y mantener el equilibrio en tu cuerpo, tu mente y tu espíritu. A medida que se desarrolle tu práctica, aprenderás a intuir lo que necesitas para equilibrarte. Algunos días, puede ser más trabajo o un trabajo más específico; otros, será el descanso o la meditación.

Igual que tu objetivo es llevar una dieta equilibrada, el de tu yoga diario debe ser encontrar el equilibrio en tu práctica y en tu salud general. Tu práctica en casa debe seguir por lo general las sencillas reglas del principio de 6-4-2:

- Incluye posturas que muevan la columna vertebral en **6** direcciones.
- Céntrate en **4** áreas de las caderas.
- Pon a prueba tu zona media de **2** maneras.

**Columna equilibrada** | Tu espina dorsal es capaz de moverse hacia delante y atrás (flexión y extensión), lateralmente (flexión lateral en ambas direcciones) y girar en redondo (torsión en ambas direcciones). Si, durante el curso de la jornada, pasas gran parte del tiempo sentado —o peor, si pasas ese tiempo sedente en el sillín de la bici, el asiento del coche, o repantigado ante la mesa de trabajo— estás favoreciendo la flexión pero descuidando las otras maneras en que puede moverse la columna vertebral.

Practicar posturas de yoga puede servir realmente de ayuda en este sentido, porque las posturas te sacarán del plano de movimiento hacia delante y te obligarán a hacer flexiones laterales, torsiones y extensiones de columna, lo cual ayuda a equilibrar fuerza y flexibilidad en los músculos que soportan la columna, reduciendo el dolor de espalda, mejorando la postura y, en general, haciendo que te sientas bien.

**Caderas equilibradas** | Las caderas y los muslos propulsan el movimiento a través del espacio. Como ocurre con los músculos que sostienen la columna, los que mueven las caderas suelen estar centrados en impulsarte hacia delante. Si te pasas gran parte del día sentado en una silla o haciendo un tipo de ejercicio marcado por movimientos repetitivos, como la mayoría de los deportes, es fácil desarrollar un desequilibrio entre tensión en la parte anterior de la cadera (los flexores de la misma) y debilidad en su parte posterior (los glúteos), así como entre las líneas internas de los muslos (aductores) y la parte externa de las caderas (abductores). Para cultivar el equilibrio y prevenir lesiones, céntrate en las cuatro líneas de la pelvis: anterior, posterior, interna y externa. Todas las rutinas de la Parte 2 incluyen trabajo en cada una de estas zonas.

**Zona media equilibrada** | Tu zona media (*core*) sostiene la columna vertebral cuando la mueves en articulación o estabilización. *Articulación* significa que estás moviéndote mediante las articulaciones intervertebrales. *Estabilización* significa que estas activando los músculos de la zona media para mantener la columna estable en el espacio. Para mantener una buena postura y la columna bien soportada, incluye en tu práctica casera tanto ejercicios de articulación (p. ej., posturas del gato/la vaca) y ejercicios de estabilización (p. ej., posturas de la plancha).

## El equilibrio en la orientación

La manera de combinar las rutinas de este libro puede ayudarte a lograr el equilibro en tu práctica diaria. Crear una secuencia de práctica equilibrada es similar a preparar una comida equilibrada. En general, selecciona una mezcla de rutinas que te permitan invertir algo de tiempo haciendo lo siguiente:

«Crear una secuencia de práctica equilibrada es similar a preparar una comida equilibrada».

- Tumbado de espaldas, boca arriba, así como boca abajo o sobre las manos y las rodillas.
- Sentado o de pie.
- Mirando el borde corto de la esterilla, así como mirando el borde largo.

Estas pautas sencillas te animarán a mover el cuerpo en diversas direcciones respecto a la gravedad, lo cual desarrolla un mejor sentido del equilibrio y consciencia de tu cuerpo en el espacio. Si estás siguiendo el principio de 6-4-2 (tratado anteriormente), ya estás moviendo, de manera natural, tu columna vertebral en todas las direcciones y favoreciendo un mejor equilibrio al cambiar periódicamente tu orientación sobre la esterilla.

# Crear
## prácticas nutritivas

Una dieta alimentaria equilibrada se basa en macronutrientes (hidratos de carbono, proteínas y grasas) y micronutrientes (vitaminas, minerales y oligoelementos); además, para sobrevivir también necesitas beber agua con regularidad. Asimismo, una dieta de yoga físico incluirá varios elementos claves, diversos ingredientes menores y la respiración.

## Macronutrientes

Una dieta de yoga físico equilibrada incluye lo siguiente:

* Mover la columna vertebral en todas las direcciones de que es capaz: hacia delante, hacia atrás, lateralmente y girando en ambas direcciones (torsión).
* Ocuparse de las caderas desde todos los ángulos: anterior, posterior, interno y externo.
* Poner a prueba los músculos para articular las vértebras de la columna, así como estabilizar la zona media.

Seguir sistemáticamente una dieta alimentaria desequilibrada puede provocar problemas de salud; descuidar constantemente un tipo de movimiento físico puede tener el mismo efecto. Si tu práctica del yoga se centra en las flexiones de tronco, pero no en las extensiones de columna, y ya te pasas gran parte del día sentado, estarás agravando un desequilibrio en vez de corregirlo. Por esta razón, debes recordar el principio de 6-4-2 del que hemos hablado anteriormente. Aplicarlo te ayudará a mantener tus rutinas de yoga bien equilibradas nutricionalmente.

La cantidad de macronutrientes y micronutrientes que ingieras a lo largo de la semana es mucho más importante que lo que tomes en una sola comida. Si no tienes proteínas en el desayuno, puedes compensarlo en el almuerzo; si no comes muchos hidratos de carbono al mediodía, puedes añadirlos en la cena. Lo mismo cabe decir de tu práctica del yoga. Si incluyes una dieta de yoga físico equilibrada a lo largo de la semana, no tendrán necesariamente que ser equilibradas todas y cada una de las rutinas y prácticas. En cambio, puedes elegir entre un menú de opciones basadas en lo que haya disponible —el espacio que tengas, el tiempo del que dispongas, incluso la ropa que lleves— y ocuparte de los desequilibrios en la práctica siguiente, bien con un tentempié de yoga específico, o bien durante el resto de la semana.

## Micronutrientes

Aunque sean importantes para la salud general, no tienes que consumir en cada comida toda la gama de los micronutrientes. Este mismo principio se aplica a tu dieta de yoga equilibrada. Aunque las flexiones laterales sean buenas para ti, eso no quiere decir que la postura inversa de la puerta deba formar parte de todas tus prácticas de yoga; basta con que trates de incluir flexiones laterales, ya sea con la postura inversa de la puerta o con algún asana alternativo, a lo largo de la semana de práctica. Descuidar prolongadamente los movimientos corporales puede hacer que acumules un desequilibrio de micronutrientes o que desarrolles problemas de salud.

### Agua

Puedes sobrevivir varios días sin comida, pero la falta de agua es un problema más grave. Por seguir con nuestra analogía, la respiración es como el agua: sin ella, no estarías por aquí mucho tiempo. No te olvides de «beberte» largas respiraciones profundas durante tu práctica del yoga.

Cuanta más atención prestes a tu respiración, más sutilezas encontrarás en su movimiento y sincronización. De esa manera, tu experiencia de tu respiración puede parecerse a paladear un vino complejo. Cambia con el paso del tiempo y en distintos contextos; sus sabores pueden complementar o entrar en conflicto con lo que el cuerpo esté haciendo en ese momento.

### Satisface tu apetito

Teniendo presente la idea de macronutrientes, micronutrientes y agua, elige tus prácticas de yoga de acuerdo con el hambre y sed que tengas, y con tus gustos. Tal vez dispongas de poco tiempo que dedicar al yoga cierto día y te apetezcan mucho unas extensiones de columna; elige una rutina con más extensiones de columna. Quizás quieras una rutina rápida para hacerla en la cama o en el suelo; opta por una práctica de seis movimientos de la columna en decúbito supino. O a lo mejor tienes ganas de darte un festín; elige o crea una práctica más larga, de multirrutina, como las de la Parte 3. Algunos días no necesitas más que un largo vaso de agua; en ese caso, ponte cómodo y disfruta de una de las prácticas de respiración presentadas en la Parte 2.

Algunas posturas pueden resultarte menos atractivas. En tal caso, un poco de ingeniería inversa puede ayudarte a encontrar un sustituto apropiado. En primer lugar, considera el propósito de la postura: ¿Es una flexión de tronco? ¿Se centra en una parte del cuerpo en especial? Después, busca una alternativa. A veces basta cambiar la relación de la postura con la gravedad para hacer que resulte más agradable al paladar. En vez del perro mirando hacia abajo, por ejemplo, da a esta postura un cuarto de giro y prueba el perro mirando hacia abajo con las manos en la pared. En vez de la postura del lagarto, da la vuelta a la postura para hacer la media postura del bebé feliz.

« "Bébete" largas respiraciones profundas durante tu práctica del yoga. Cuanta más atención prestes a tu respiración, más sutilezas encontrarás en su movimiento y sincronización».

Y aún peor: ciertas posturas puede que no estén indicadas para tu constitución. Tal vez sientas un dolor agudo o molestias al adoptar las posturas, u observes que contienes la respiración o que respiras muy superficialmente. Evita esas posturas y consulta a un profesor con experiencia o a un fisioterapeuta para afrontar la raíz del problema.

# Dónde, cuándo y con qué frecuencia **practicar**

## Dónde practicar

Este libro es tu herramienta para lograr una práctica casera nutritiva. No acabes dependiendo tanto de las clases de estudio que te pierdas el pan de cada día del yoga: tu práctica en casa. Sin embargo, puedes mantener la frescura de tu práctica consultando periódicamente a profesores, ya sea en sesiones sueltas, talleres o clases particulares. Así disfrutarás de la energía de practicar en grupo, además de los ojos del profesor puestos en tu alineación. Cuando practiques en casa con regularidad, tal vez desarrolles hábitos que podrían llegar a ser perjudiciales con el tiempo; hacer que un profesor valore tu técnica te mantendrá a salvo, y aprender nuevas rutinas o enfoques hará que no pierdas la inspiración.

Cuando te sientas cómodo con tu práctica del yoga diario, visitar nuevos profesores o estudios puede ser como probar cocinas exóticas o un nuevo restaurante. Los distintos estilos de yoga tendrán un perfil de condimentos distinto. Algunos cargan la mano en las posturas invertidas; otros insisten en los accesorios. Los hay que echan un chorrito generoso de cánticos; otros espolvorean filosofía en todos los platos. Aventurarte a salir de la rutina de vez en cuando mantendrá tu apetito por el yoga, y puede que te encuentres improvisando con estos nuevos sabores en tu esterilla de casa.

Si tienes sitio, prepara un espacio específico para el yoga en casa o en el trabajo. Lo ideal es que ese espacio esté libre de distracciones, como por ejemplo mascotas o niños moviéndose de acá para allá, así como libre de pantallas de ordenador y de otros aparatos. Si no dispones de un espacio así, silencia el teléfono y esfuérzate por mantener la concentración en tu cuerpo y tu respiración. Cuanto mejor se te llegue a dar practicar ante distracciones e interrupciones, mejor se te dará mantener la concentración en cualquier situación.

## Cuándo practicar

Practica en un momento del día a tu gusto. Si tienes tiempo e inclinación por la mañana, incluye un calentamiento y una rutina de pie. Las posturas de pie también constituyen una buena merienda a media tarde o un calentamiento dinámico previo a la sesión (en ese caso, opta por fluir de postura en postura en vez de mantenerlas estáticamente). Al final de tu sesión, incluye una rutina de esterilla centrada en la zona media. Después de una jornada laboral, prueba un calentamiento seguido de una rutina de esterilla para hacer una práctica de conexión. Disfruta de una secuencia de cierre que te ayude a relajarte antes de acostarte. Dado que las rutinas incluidas en la Parte 2 son del tamaño de bocaditos, puedes elegir lo que te funcione a cualquier hora del día.

## Con qué frecuencia practicar

Aunque este libro se titule *Yoga diario,* no tienes que practicar todos los días para ver resultados. Incluir una rutina o dos a días alternos, o incluso dos o tres veces a la semana, tendrá un efecto muy positivo en tu salud y bienestar mental y físico. La Parte 4 ofrece ejemplos de programas de yoga para que te pongas en marcha.

# 2

# Rutinas
## de yoga diario

Estas rutinas te ayudarán a desarrollar un planteamiento de menús para tu práctica en casa. Si eres un deportista, puedes incluir calentamientos antes de la sesión para soltar el cuerpo y elevar la frecuencia cardíaca. Después, las posturas de pie desarrollarán la estabilidad y el trabajo de suelo te ayudará a fortalecer tu zona media y mantener el equilibrio en las caderas. Las rutinas de vuelta a la calma ayudan a completar una práctica más larga o funcionan bien como rutinas independientes para acelerar la recuperación o como prácticas de relajación. A lo largo de todo el libro, verás sugerencias para endulzar las posturas, hacerlas más picantes o condimentarlas de manera distinta. Úsalas como puntos de partida para personalizar tu práctica a fin de transformar tu cuerpo y ayudarle a restablecerse.

# Calentamientos integrales | Utiliza las secuencias de calentamiento como tentempiés de yoga independientes, o combina varios para formar una práctica suave. Asimismo, funcionan bien como rutinas de calentamiento dinámico antes de la sesión.

CALENTAMIENTOS DE PIE

## Seis movimientos de la columna, de pie

*Un descanso perfecto del tiempo que pasas en la mesa de trabajo. ¡No hace falta esterilla!*

Ponte de pie en la postura de la montaña. Flexiona ligeramente las rodillas y apoya las manos en los muslos.

Inspira y eleva el cóccix, el pecho y la vista para la vaca de pie; espira y encorva la espalda para el gato de pie. Repite varias rondas.

Desde la postura de la montaña, inspira y lleva los brazos por encima de la cabeza; espira y flexiónate lateralmente hacia la izquierda. Mantén la postura durante varias respiraciones. Cambia de lado.

Desde la postura de la montaña, inspira y eleva los brazos a la altura de los hombros; espira y gira lateralmente hacia la derecha, flexionando la rodilla izquierda para la torsión de pie. Mantén la postura para un estiramiento, o desarrolla la fuerza de la zona media repitiendo dinámicamente la torsión a un lado y otro. Cambia de lado. ● *Más picante: gira lateralmente y mantén las caderas orientadas hacia delante, haciendo la torsión solo desde la cintura para arriba.* ● *Más picante: haz la torsión hacia la derecha, flexiona la rodilla derecha y elévala hasta la altura de la cadera, manteniendo las caderas y las rodillas orientadas hacia delante.*

POSTURA DE
LA MONTAÑA

LA VACA DE PIE

EL GATO DE PIE

POSTURA DE
LA MONTAÑA

FLEXIÓN LATERAL
DE PIE

POSTURA DE
LA MONTAÑA

TORSIÓN DE PIE

*Más picante: con la rodilla elevada*

Calentamientos integrales

# Seis movimientos de la columna, de rodillas

*Este ejercicio funciona bien desde la posición de rodillas, con el beneficio añadido de estirar los cuádriceps tensos y los tobillos; pero, si te ves forzado a estar sentado, como por ejemplo en un viaje, prueba esta secuencia en el asiento mismo.*

Siéntate en los talones y apoya las manos en los muslos. Inspira, arquea la espalda en una leve extensión de columna, y alza la cara para adoptar la vaca en posición de rodillas; espira y encorva la espalda, metiendo la barbilla hacia el pecho para adoptar el gato en posición de rodillas. Repite durante varias respiraciones. ● *Más dulce: ponte un bloque entre los talones para sentarte en él, o bien un cojín, almohada o almohadón entre los muslos y las pantorrillas.*

    Haz un estiramiento lateral hacia la derecha, con la mano de ese mismo lado en la esterilla, y alargando el brazo izquierdo hacia arriba y a la derecha. Permanece en la postura varias respiraciones. Cambia de lado. ● *Más picante: flexiona el codo derecho hacia el suelo mientras haces la flexión lateral hacia la derecha.*

    Haz una torsión abierta hacia la derecha, con la mano derecha en la cadera o en la esterilla, y la mano izquierda sobre la cara externa de la rodilla derecha. Permanece en la postura varias respiraciones. Cambia de lado.

LA VACA EN POSICIÓN DE RODILLAS

EL GATO EN POSICIÓN DE RODILLAS

ESTIRAMIENTO LATERAL

TORSIÓN ABIERTA

CALENTAMIENTOS EN POSICIÓN SENTADA

# Seis movimientos de la columna, con las piernas cruzadas

*Moviliza los hombros y la parte superior de la espalda.*

Siéntate con las piernas cruzadas, y luego gira a la derecha para adoptar la torsión en posición sentada, apoyando la mano izquierda en el muslo derecho. Permanece en la postura varias respiraciones.

Manteniendo la mano izquierda en el muslo derecho, eleva el brazo derecho por encima de la cabeza, haciendo una flexión lateral hacia la izquierda. Permanece en la postura varias respiraciones. Espira y baja la mano derecha hasta la rodilla izquierda, formando con los brazos una X delante del pecho. Permanece en la postura varias respiraciones. Cambia de lado y vuelve a la torsión en posición sentada.

Entrecruza los dedos de las manos por encima de la cabeza, con las palmas hacia arriba. Relaja los hombros y aparta ligeramente las manos una de otra mientras las mantienes unidas. Permanece en la postura varias respiraciones.

Espira y encórvate para poner la espalda como en la postura del gato, adelantando las manos a la altura de los hombros. Permanece en la postura varias respiraciones.

Entrelaza los dedos de las manos por detrás de la espalda, apoyando los nudillos en la región lumbar y tratando de juntar los codos. Eleva el pecho realizando una extensión de columna para tener la espalda como en postura de la vaca. Permanece en la postura durante varias respiraciones

● *Más picante: en la extensión de columna, eleva los brazos y estira los codos.*

Flexiona los codos para desplazar las manos unidas hasta el lado derecho de la cintura, con el codo derecho apuntando hacia atrás. Baja la oreja derecha hacia el hombro para sentir un estiramiento en el hombro izquierdo. Permanece en la postura varias respiraciones. Cambia de lado.

TORSIÓN EN
POSICIÓN SENTADA

FLEXIÓN LATERAL CON
EL BRAZO EN DIAGONAL

LA X DELANTE DEL PECHO

BRAZOS POR ENCIMA
DE LA CABEZA

MANOS HACIA DELANTE
CON LA ESPALDA COMO
EN LA POSTURA DEL GATO

DEDOS DE LAS MANOS
ENTRELAZADOS DETRÁS DE
LA ESPALDA CON ESTA COMO
EN LA POSTURA DE LA VACA

MANOS AL LADO
DE LA CINTURA, OREJA
AL HOMBRO

*Vista alternativa*

DECÚBITO PRONO

# Seis movimientos de la columna, en decúbito prono

*Como una receta a la que recurrir una noche de entresemana, esta rutina es rápida, fácil y gratificante. Coloca la columna en todas las direcciones y prepara para movimientos más profundos.*

Desde la postura del niño, «camina» con las manos hacia el lado derecho hasta sentir un estiramiento. Permanece en esa posición varias respiraciones. Cambia de lado.

Elévate hasta estar sobre las manos y las rodillas. Inspirando, eleva el cóccix, baja el ombligo, abre el pecho y alza la vista para adoptar la postura de la vaca. Espirando, recoge el cóccix, encorva la espalda, acerca la barbilla al pecho y baja la coronilla hacia el suelo para adoptar la postura del gato. Repite durante varios ciclos.

Sobre las manos y las rodillas, alinea la columna vertebral para colocarla en posición neutra. Deslizándola por el suelo, adelanta la mano derecha unos cuantos centímetros. Desplaza la mano izquierda hasta donde estaba la derecha, bajando hasta el codo izquierdo mientras haces una torsión hacia la derecha para «enhebrar la aguja». La mano derecha puede llegar hasta la cadera o elevarse para hacer un estiramiento del pecho. Permanece en la postura varias respiraciones. Cambia de lado. ● *Más dulce: permanece sobre la palma izquierda, con el codo elevado, mientras giras a la derecha.* ● *Más picante: baja hasta el hombro izquierdo.*

POSTURA DEL NIÑO

POSTURA LATERAL DEL NIÑO

LA VACA

EL GATO

TORSIÓN «ENHEBRAR LA AGUJA»

DECÚBITO PRONO

# Seis movimientos de la columna, en decúbito prono, con la pierna extendida

*La extensión de pierna estira la parte interna del muslo y permite un rango distinto de movimiento en la pelvis y la columna vertebral.*

Desde la postura de la mesa, extiende la pierna derecha hacia la derecha, alineada con las caderas y la rodilla izquierda, y con los dedos del pie hacia delante. Inspira para adoptar la postura de la vaca; espira para adoptar la postura del gato. Repite durante varios ciclos.

Alinea la columna para colocarla en posición neutra, baja el codo izquierdo en la vertical del hombro, y eleva el brazo derecho hasta la cadera o hacia el techo mientras haces una torsión a la derecha para «enhebrar la aguja». Permanece en la postura varias respiraciones. ◉ *Más dulce: permanece sobre la palma izquierda mientras haces la torsión a la derecha.* ◉ *Más picante: baja hasta el hombro izquierdo.*

Lleva ambas manos al suelo y «camina» con los brazos hacia la izquierda hasta que la mano izquierda esté alineada con la rodilla izquierda, con los dedos apuntando en la dirección contraria a la rodilla. Eleva la mano derecha hasta la cadera de ese mismo lado, por encima de la cabeza, o en la vertical del brazo izquierdo, para adoptar la postura inversa de la puerta. Permanece en la postura varias respiraciones. ◉ *Condimento: Traza con el brazo derecho grandes círculos como si tocaras una guitarra imaginaria en torno a tu cuerpo en ambas direcciones.*

Repite la rutina cambiando de lado.

POSTURA DE LA MESA, CON LA PIERNA EXTENDIDA

LA VACA, CON LA PIERNA EXTENDIDA

EL GATO, CON LA PIERNA EXTENDIDA

TORSIÓN «ENHEBRAR LA AGUJA»

POSTURA INVERSA DE LA PUERTA

DECÚBITO PRONO

# Seis movimientos de la columna, en decúbito prono, con la rodilla flexionada

*Estira el pecho y las caderas al mismo tiempo que agudiza la concentración; pruébala después en una práctica, como vuelta a la calma.*

Túmbate boca abajo y pon los brazos debajo de la frente, con las palmas en el suelo. Permanece en la postura varias respiraciones.

Deslizándolos por el suelo, coloca los codos en la vertical de los hombros, con los antebrazos paralelos, para adoptar la postura de la esfinge. Permanece en la postura varias respiraciones.

Flexiona la rodilla derecha para adoptar la postura prona del árbol. Añade una flexión lateral mirando por encima del hombro derecho hacia la rodilla derecha. Permanece en la postura varias respiraciones ● *Más dulce: vuelve a bajar el pecho al suelo.* ● *Más picante: estira el codo izquierdo para elevarte más y profundizar en la flexión lateral.*

Nivela los hombros hacia delante, eleva el codo derecho y desliza el brazo izquierdo hacia la derecha, con la palma hacia arriba. Rueda sobre ti para situarte sobre la cara externa de la cadera y la pierna izquierdas y alarga el brazo derecho hacia el techo o hacia el suelo por detrás de ti mientras haces una torsión. ● *Más dulce: mantén la mano derecha en el suelo.* ● *Más picante: rueda para situarte sobre la parte externa de la cadera izquierda, flexiona la rodilla izquierda y alarga la mano derecha hacia el pie izquierdo y/o estira la pierna derecha con el pie derecho hacia la mano izquierda.*

Vuelve al centro y cambia de lado.

*SAVASANA* BOCA ABAJO

LA ESFINGE

POSTURA PRONA DEL ÁRBOL CON FLEXIÓN LATERAL

POSTURA PRONA DEL ÁRBOL CON TORSIÓN

# Secuencia fluida con oscilación de pierna

*Los movimientos dinámicos de esta secuencia fluida preparan al cuerpo para las posturas estáticas. Es una buena manera de aumentar la temperatura y encontrar alivio al mismo tiempo.*

Empieza en la postura de la mesa. Manteniendo relajados los dedos de los pies, inspira y rueda sobre ellos para colocarlos en flexión y estirarlos, a fin de elevar la rodilla derecha y atrasar el talón. Espirando, baja la rodilla derecha al suelo, volviendo a la postura de la mesa. Repite varias series antes de mantener la rodilla derecha separada del suelo para hacer un estiramiento de gemelos. ⊙ *Más dulce: al reiterar la acción, mantén los dedos de los pies en flexión y baja la rodilla derecha sin tocar el suelo.*

Desde la postura de la mesa, inspira y eleva la pierna derecha por detrás de ti mientras arqueas la columna vertebral para colocar la espalda en postura de la vaca. Espira y encorva la espalda para colocarla en postura del gato, acercando la rodilla derecha a la nariz. Repite varias series.

Inspira y extiende la pierna derecha por detrás de ti. Espira y toca con el pie derecho por fuera del izquierdo. Repite varias series antes de mantener la posición en la flexión lateral. ⊙ *Más picante: inclina más la columna vertebral hacia la izquierda al hacer la flexión lateral.*

Vuelve a la postura de la mesa con la pierna derecha extendida por detrás de ti. Rota externamente desde la cadera, de manera que la rodilla derecha y los dedos de ese pie queden orientados hacia la derecha. Espira y da una coz de burro con la pierna hacia la derecha; inspira y vuelve a la postura de la mesa con rotación externa. Repite durante varias respiraciones, y luego baja al suelo el pie derecho alineado con la rodilla izquierda. Presiona con la mano izquierda mientras elevas el brazo derecho y haces una torsión de tronco hacia la derecha. ⊙ *Más dulce: da la patada con la rodilla flexionada cuando reiteres la acción.* ⊙ *Más picante: cuando hagas la torsión, desciende hasta situarte sobre el codo o el hombro izquierdos.*

Vuelve al centro y cambia de lado.

POSTURA DE LA MESA

ESTIRAMIENTO DE LOS DEDOS DEL PIE

LA VACA CON OSCILACIÓN DE PIERNA

EL GATO CON OSCILACIÓN
DE PIERNA

DE MENEAR LA COLA A FLEXIÓN LATERAL

DE LA COZ DEL BURRO A LA TORSIÓN DEL BALANCÍN

DECÚBITO SUPINO

# Seis movimientos de la columna, en decúbito supino, con una pierna

*Precioso inicio para una práctica apacible, esta es también una excelente rutina para hacerla en la cama o después de la sesión.*

Empieza de espaldas, abrazando ambas piernas. Permanece en esta posición durante varias respiraciones.

Desliza las manos hasta la rodilla derecha y extiende la pierna izquierda hacia el techo para estirar los isquiotibiales. Mantén la posición durante varias respiraciones.

Manteniendo firmemente agarrada la rodilla derecha, baja lentamente la pierna izquierda extendida hacia el suelo, haciendo una pausa con el talón a pocos centímetros de la esterilla, para estirar los flexores de la cadera. Permanece en esta posición durante varias respiraciones. ● *Más dulce: flexiona la rodilla izquierda y apoya el pie en el suelo.*

Guía tu muslo derecho describiendo círculos lentos en ambas direcciones.

Baja la rodilla derecha hacia la derecha para adoptar la postura reclinada del árbol. Permanece en ella durante varias respiraciones, y luego desplaza los hombros hacia la derecha, con los brazos estirados por detrás de la cabeza, para estirar el costado izquierdo durante varias respiraciones más. ● *Más dulce: soporta el muslo derecho metiendo una manta entre el suelo y él.* ● *Más picante: tira ligeramente de la muñeca o el codo izquierdos mientras haces la flexión lateral.*

Vuelve a alinear los hombros con las caderas. Eleva la pierna derecha flexionada y cruza la rodilla hacia la izquierda mientras ruedas sobre ti mismo para situarte sobre la cara externa de la cadera izquierda. ● *Más picante: reduce la flexión de la rodilla derecha.*

Traza lentamente círculos con el brazo derecho en torno al cuerpo; realiza varios círculos en una dirección, y luego algunos más en la otra. Termina con varias respiraciones en total inmovilidad, alargando la mano derecha hacia la derecha.

Vuelve al centro y abraza ambas rodillas. Repite por el otro lado.

ABRAZAR LAS RODILLAS          ESTIRAMIENTO DE ISQUIOTIBIALES          ESTIRAMIENTO DE LOS FLEXORES DE LA CADERA

CÍRCULOS DE CADERA

EL ÁRBOL RECLINADO CON FLEXIÓN LATERAL

TORSIÓN DE TRONCO RECLINADA CON CÍRCULOS DE HOMBRO

DECÚBITO SUPINO

# Seis movimientos de la columna, en decúbito supino, con las dos piernas

*Utiliza esta secuencia a fin de prepararte para el trabajo de la zona media o como tentempié de yoga independiente.*

Empieza de espaldas, con los brazos por detrás de la cabeza en postura reclinada de la montaña. Inspira y estira los brazos y las piernas apartándolos entre sí; espira y relaja el cuerpo. Repite varias series.

Cruza el tobillo izquierdo sobre el derecho y desplaza los hombros hacia la derecha para estirar el costado izquierdo, a fin de adoptar la postura del plátano. Mantén la postura durante varias respiraciones. Cambia de lado ● *Más picante: tira de la muñeca o el codo izquierdo con la mano derecha; mueve los pies unos pocos centímetros hacia la derecha.*

Abraza las rodillas acercándolas al pecho. Permanece en esta posición durante varias respiraciones.

Baja los pies al suelo, con las rodillas flexionadas y las manos junto a las caderas. Inspira y eleva las caderas para adoptar la postura del puente; espira y desciende. Repite varias series, y luego mantén la postura del puente durante varias respiraciones. Termina abrazando las rodillas.

Desplaza las rodillas hasta situarlas en la vertical de las caderas, con las manos formando una T con el tronco. Baja lentamente las rodillas de lado a lado. Repite varias series, y luego baja ambas rodillas hacia la derecha, relajándolas hasta el suelo para realizar un estiramiento; mantén esta posición durante varias respiraciones. Cambia de lado. ● *Más picante: estira una o ambas rodillas mientras bajas y elevas las piernas.*

LA MONTAÑA RECLINADA

EL PLÁTANO

ABRAZAR LAS RODILLAS

**ARTICULACIONES DEL PUENTE**
*Posición inicial*

*Posición final*

TORSIÓN CON DESCENSO DE AMBAS PIERNAS

# Secuencias de pie para mejorar la fuerza y el equilibrio | Desarrollan la fuerza de todo el cuerpo, mejoran el sentido del equilibrio y agudizan la conciencia del cuerpo en el espacio. Son como las verduras y las proteínas magras de tu práctica. Te hacen mucho bien.

PARTE ANTERIOR DE LA ESTERILLA

## Secuencia de la postura alta de la montaña

*Una secuencia divertida para agudizar tu conciencia de la postura de la montaña y la capacidad de recuperar la forma correcta, esta rutina mejora el sentido del equilibrio en el espacio.*

Ponte de pie en postura de la montaña. Inspira y eleva los brazos por encima de la cabeza; espira mientras retraes el abdomen hacia la columna vertebral y bajas las escápulas por la espalda.

Inspira y eleva los talones para adoptar la postura alta de la montaña, guardando el equilibrio de puntillas. Espira y flexiona las rodillas mientras bajas las caderas para adoptar la postura de la silla.

Realiza otra respiración completa mientras bajas las caderas hasta la altura de las rodillas, guardando el equilibrio sobre la base de los dedos del pie para adoptar la postura erguida en cuclillas. Inspira y elévate lentamente, realizando todo el recorrido hasta volver a guardar el equilibrio en postura alta de la montaña, con los talones elevados y los brazos por encima de la cabeza; espira y vuelve a la postura de la montaña. ● *Más dulce: omite la postura erguida en cuclillas, descendiendo tanto como lo permitan tus rodillas y tu sentido del equilibrio.* ● *Más picante: extiende una pierna al frente mientras realizas la secuencia. Para desarrollar la fuerza, añade varias respiraciones en cada fase del ciclo.*

POSTURA DE
LA MONTAÑA

BRAZOS POR ENCIMA
DE LA CABEZA

POSTURA ALTA
DE LA MONTAÑA

LA SILLA

*Más picante: con una pierna extendida*

POSTURA ERGUIDA
EN CUCLILLAS

POSTURA ALTA
DE LA MONTAÑA

POSTURA DE
LA MONTAÑA

# Yoga en el aparcamiento

*Esta secuencia combina varias posturas de pie sin bajar las manos al suelo, lo que quiere decir que puede hacerse sin esterilla en un aparcamiento (pongamos por caso, antes de una sesión), así como casi en cualquier otro sitio.*

Partiendo de la postura de la montaña, inspira y eleva los brazos y la pierna derecha, con la rodilla a la altura de la cadera para adoptar la postura de la grulla; espira y da un paso atrás con el pie derecho para adoptar la postura de la diagonal, con los hombros en la vertical de la rodilla izquierda.

Inspira y eleva los hombros en la vertical de las caderas para adoptar la postura de la luna creciente; espira y abre la postura hacia la derecha, bajando el talón derecho para adoptar el guerrero II.

Inspira y vuelve a la postura de la luna creciente, elevando el talón derecho mientras quedas de frente; espira e inclina el tronco para adoptar la postura de la diagonal. Inspira para pasar a la postura de la grulla; espira y vuelve a la postura de la montaña. ● *Más dulce: eleva solo el talón izquierdo, no el derecho, para adoptar la postura de la grulla; desliza el pie derecho por la esterilla al dar un paso atrás hasta la postura de la diagonal. Baja los brazos hasta la postura de oración* (namaste) *para aligerar la carga sobre los hombros. Al dar un paso al frente, omite la postura de la grulla y adopta simplemente la postura de la montaña.* ● *Más picante: dependiendo de tus necesidades, esta secuencia puede ser un calentamiento dinámico (moviéndote a media respiración según se indica) o una práctica para desarrollar la fuerza (manteniendo cada postura durante varias respiraciones antes de pasar a la siguiente).*

Repite la secuencia por el otro lado.

POSTURA DE
LA MONTAÑA

LA GRULLA

LA DIAGONAL

LA LUNA CRECIENTE

EL GUERRERO II

LA LUNA CRECIENTE

LA DIAGONAL

LA GRULLA

POSTURA DE LA MONTAÑA

# Saludos al sol

*Ingrediente básico de la mayoría de las prácticas de yoga, los saludos al sol pueden sazonarse a tu gusto. Empléalos como continuación de tu calentamiento o como secuencia en el momento álgido de tu práctica.*

Ponte de pie en postura de la montaña en el extremo de la esterilla. Inspira, eleva los brazos por encima de la cabeza; espira, flexiona el tronco. Inspira, eleva a medias el tronco (media flexión) con la espalda extendida; espira, alarga las manos hasta el suelo y da un paso atrás para adoptar la plancha alta. Inspira en plancha alta, y luego espira para adoptar la plancha baja. Inspira, postura del perro mirando hacia arriba o la cobra; espira, postura del perro mirando hacia abajo. Permanece en postura durante varias respiraciones.

Inspira y da un paso al frente hasta la media flexión de tronco; espira y haz la flexión completa. Inspira y elévate hasta la posición erguida de pie, con los brazos por encima de la cabeza; espira para adoptar la postura de la montaña. Repite varias veces. ● *Más dulce: mantén las rodillas flexionadas en la flexión de tronco. Atrasa una sola pierna hasta la posición de zancada; mantenla durante varias respiraciones antes de pasar a la plancha alta. Baja las rodillas y pasa a la postura de rodillas-pecho-barbilla, y luego la cobra, o bien sustitúyela por el gato/la vaca. Al volver al frente, emplea la misma pierna para dar un paso hasta la posición de zancada por el otro lado, manteniéndola durante varias respiraciones.* ● *Más picante: durante una espiración, da un paso o un salto atrás pasando por la plancha alta hasta la plancha baja, con los codos cerca de los costados y el tronco en el aire sin tocar el suelo. Inspira y adelántate hasta el perro mirando hacia arriba, con las caderas separadas de la esterilla; espira y rueda sobre los dedos de los pies mientras elevas las caderas hasta la postura del perro mirando hacia abajo.*

POSTURA DE
LA MONTAÑA

BRAZOS POR ENCIMA
DE LA CABEZA

FLEXIÓN DE TRONCO

MEDIA FLEXIÓN DE TRONCO

LA PLANCHA ALTA

*Más dulce: la plancha alta con las rodillas en el suelo*

LA PLANCHA BAJA

*Más dulce: rodillas, pecho y barbilla a
la esterilla*

EL PERRO MIRANDO
HACIA ARRIBA

*Más dulce: la cobra*

EL PERRO MIRANDO
HACIA ABAJO

MEDIA FLEXIÓN
DE TRONCO

FLEXIÓN
DE TRONCO

BRAZOS POR ENCIMA
DE LA CABEZA

POSTURA DE
LA MONTAÑA

# Secuencia fluida del guerrero I

*Una secuencia de esterilla que equilibra la fuerza y la flexibilidad en las piernas y las caderas.*

Empieza en postura de la montaña en la parte posterior de la esterilla. Da un paso al frente con el pie izquierdo e inclina ligeramente hacia dentro el talón derecho. Inspira para elevar los brazos; espira para dar una zancada y situar la rodilla izquierda justo en la vertical del tobillo izquierdo mientras mantienes el talón derecho bien asentado en el suelo. Mantente en el guerrero I durante varias respiraciones.

Espira e inclina el tronco sobre la pierna izquierda mientras mantienes la posición de zancada. Conserva la postura diagonal del guerrero durante varias respiraciones.

Inspira y estira lo más que puedas la rodilla izquierda, deteniéndote cuando sientas que se estiran el primer borde de la cadera y los isquiotibiales. Mantente en la postura de la pirámide durante varias respiraciones, con la rodilla estirada, pero no bloqueada. ◉ *Más dulce: sitúa la columna vertebral en la vertical de la pierna izquierda para estirar los isquiotibiales.* ◉ *Más picante: eleva el tronco y mantén la columna paralela al suelo, para desarrollar la fuerza de la zona media y de la propia columna.*

Inspira y transfiere tu peso a la pierna izquierda para adoptar el guerrero III; espira e inclina el pecho hacia delante mientras elevas la pierna derecha por detrás de ti, bien con los brazos alargándose hacia atrás o bien con las manos en postura de oración. Mantente en el guerrero III durante varias respiraciones. ◉ *Más dulce: mantén los dedos del pie derecho en el suelo, trazando una diagonal desde el pie hasta la cabeza.* ◉ *Más picante: inclina el tronco bajándolo más y eleva la pierna derecha, poniéndola lo más paralela al suelo posible, con las caderas niveladas respecto a él.*

Repite la secuencia por el otro lado. ◉ *Más picante: repite dinámicamente varias veces al hacer la transición de postura a postura, y luego mantén cada una de ellas durante varias respiraciones. La posición de los brazos en las tres últimas posturas afectará a la intensidad del ejercicio; para complicar la secuencia, alarga los brazos desde las caderas para formar una V invertida, desde los hombros para formar una T, o por encima de la cabeza para formar una V.*

Secuencias de pie

POSTURA DE
LA MONTAÑA

EL GUERRERO I

POSTURA DIAGONAL DEL GUERRERO

LA PIRÁMIDE

EL GUERRERO III

# Secuencia fluida de equilibrio de pie

*Emplea esta rutina de cinco posturas para incluir eficientemente los seis movimientos de la columna y las cuatro líneas de la cadera.*

Empieza en postura de la montaña, transfiriendo tu peso a la pierna izquierda mientras flexionas la rodilla derecha y sujetas el pie derecho con la mano de ese mismo lado. Extiende el brazo izquierdo por encima de la cabeza y pliégate como una bisagra desde las caderas mientras extiendes potentemente el pie derecho por detrás de ti para adoptar la postura del bailarín. Permanece en ella durante varias respiraciones.

Inspira y vuelve a la posición erguida de pie. Libera tu pie derecho y apóyalo contra la pierna izquierda, en cualquier punto de la misma menos contra la rodilla. Extiende bien los brazos a los lados o elévalos por encima de la cabeza, juntos o separados, para adoptar la postura del árbol. Mantenla durante varias respiraciones. ◉ *Más picante: añade una flexión lateral a la derecha, con la palma o el codo derechos hacia el muslo de ese mismo lado.*

Cruza el tobillo derecho por encima de la rodilla izquierda. Flexiona la pierna izquierda para hacer una ligera sentadilla, atrasando y bajando las caderas. Abre bien los brazos para mantener el equilibrio o, para estirar el pecho, entrelaza los dedos de las manos por detrás de la espalda y, bien aprieta entre sí los codos flexionados, o bien estira los brazos. Permanece en la postura de la paloma durante varias respiraciones.

Manteniendo la sentadilla con la pierna izquierda, cruza la rodilla derecha sobre la izquierda, con las caras internas de los muslos bien pegadas una a otra (como si las unieses cerrando una cremallera) para adoptar la postura del águila. Mantén los brazos bien abiertos o cruza el codo izquierdo sobre el derecho, apoyando entre sí los dorsos de las manos o juntando las palmas. Permanece en esta posición durante varias respiraciones.

Repite la secuencia por el otro lado. ◉ *Más dulce: haz una respiración entre posturas, o haz cada postura primero con una pierna y luego con la otra.* ◉ *Más picante: elimina descansos entre posturas, pon a prueba tu equilibrio parpadeando lentamente o manteniendo los ojos cerrados.*

POSTURA DE LA MONTAÑA    EL BAILARÍN

EL ÁRBOL

LA PALOMA    *Vista alternativa*

EL ÁGUILA    *Vista alternativa*

# Secuencia fluida del guerrero II

*Esta serie de posturas favorece el equilibrio entre la parte interna del muslo y la externa de la cadera, lo cual sirve de ayuda a la salud de la rodilla.*

Empieza en una postura amplia, con las piernas bien separadas. Inspira, eleva los brazos y pivota los dedos del pie izquierdo hacia la izquierda. Espira, baja los brazos hasta que estén paralelos al suelo y da una zancada con la pierna izquierda para situar la rodilla en la vertical del tobillo. Mantén el guerrero II durante varias respiraciones.

Inspira, orienta la palma de la mano izquierda hacia el techo y eleva el brazo izquierdo mientras te inclinas hacia atrás, apoyando la mano derecha ligeramente sobre la cadera o el muslo derechos. Permanece en la postura inversa del guerrero durante varias respiraciones.

Espira e inclínate sobre la pierna izquierda flexionada, apoyando el codo en la rodilla izquierda mientras estiras el brazo derecho sobre la pierna izquierda. Mantén la postura del ángulo lateral durante varias respiraciones. ● *Más picante: baja la mano izquierda hasta un bloque de yoga o hasta el suelo, bien justo por dentro o justo por fuera del pie izquierdo.*

Inspira, elévate hasta el centro y nivela las puntas de los pies hacia delante. Espira e inclínate para adoptar la postura extendida de estiramiento intenso. Permanece en esta flexión durante varias respiraciones. Repite por el otro lado. ● *Más picante: pasa dinámicamente de postura en postura varias veces antes de mantener una de ellas.*

POSTURA AMPLIA

EL GUERRERO II

POSTURA INVERSA DEL GUERRERO

EL ÁNGULO LATERAL          *Más picante: mano sobre un bloque*

POSTURA EXTENDIDA DE
ESTIRAMIENTO INTENSO

# Secuencia fluida de la media luna

*Esta rutina, una variante con rotación externa de la secuencia fluida del guerrero I, desarrolla la fuerza y el equilibrio de las piernas y la zona media.*

Desde una postura amplia, con las piernas bien separadas, rota el pie izquierdo hacia la izquierda y da una zancada con la pierna izquierda para adoptar el guerrero II, con los brazos bien alargados. Mantén la zancada durante varias respiraciones. ● *Condimento: entra y sal dinámicamente de la postura del guerrero II.*

Estira la pierna izquierda e inclina el tronco sobre ella, llevando la mano izquierda a la pierna izquierda y la mano derecha alargándose bien alta, para adoptar la postura del triángulo. Mantenla durante varias respiraciones. ● *Condimento: entra y sal dinámicamente de la postura del triángulo.* ● *Más picante: inclina el tronco sin conectar la mano con la pierna.*

Inclínate para situarte sobre la pierna izquierda y elevar la derecha para adoptar la postura de la media luna, llevando la mano izquierda hasta un bloque de yoga. Permanece en la postura durante varias respiraciones. ● *Condimento: entra y sal dinámicamente de la postura de la media luna antes de entregarte a ella.* ● *Más dulce: mano izquierda a un bloque, mano derecha a la cadera.* ● *Más picante: mano derecha al pie derecho, rodilla derecha flexionada.*

POSTURA AMPLIA

EL GUERRERO II

EL TRIÁNGULO

LA MEDIA LUNA

# Rutinas de suelo para mejorar la fuerza de la zona media (*core*) y la flexibilidad de las caderas | Estas secuencias desarrollan la zona media y flexibilizan las caderas. Concíbelas como los hidratos de carbono de tu práctica del yoga. Te nutren y te conectan a la tierra.

DECÚBITO PRONO

## Serie de la postura lateral de la paloma

*Encuentra un profundo alivio en la parte externa de las caderas con esta rutina, que lleva la postura de la paloma a nuevas cimas.*

Desde la postura del perro mirando hacia abajo o la de la mesa, inspira y eleva la pierna derecha por detrás de ti; espira y encorva la espalda, acercando la rodilla a la nariz. Repite varias series de oscilaciones en la plancha para la zona media, y da después un paso con el pie derecho hasta el meñique de la mano derecha para dar la zancada de la postura del lagarto. ◉ *Condimento: baja la rodilla atrasada para conseguir un mayor estiramiento; elévala para lograr más fuerza.*

Coloca la palma de la mano izquierda en la vertical del hombro izquierdo y desplaza la pierna derecha hasta alinearla con las caderas mientras rotas para adoptar la plancha lateral con la pierna en forma de 4. Permanece en ella durante varias respiraciones.

Baja la cadera izquierda al suelo para adoptar la postura lateral de la paloma, realizando varias respiraciones para hacer la transición. Permanece varias respiraciones en esta flexión lateral.

Manteniendo bajo el pie derecho, gira sobre ti mismo a la derecha para realizar una torsión sentada intensa. Permanece en ella durante varias respiraciones. ◉ *Más dulce: da un paso con el pie derecho hacia el interior de la pierna izquierda.* ◉ *Más picante: cruza la cara interna o externa del codo izquierdo por delante de la rodilla derecha.*

EL PERRO MIRANDO HACIA ABAJO          *Más dulce: postura de la mesa*

OSCILACIONES EN LA PLANCHA PARA LA ZONA MEDIA

ZANCADA DE LA POSTURA DEL LAGARTO

LA PLANCHA LATERAL EN FORMA DE 4

POSTURA LATERAL DE LA PALOMA

TORSIÓN SENTADA INTENSA

DECÚBITO PRONO

# Planchas y extensiones de columna

*Esta rutina de fortalecimiento de la zona media, una práctica a la que recurrir después de una sesión, incluye movimiento en todos los planos.*

Empieza en la plancha; mantenla durante varias respiraciones. ◉ *Más picante: repite varias series alternando la elevación de una pierna o un brazo, moviéndote con la respiración.*

Desciende hasta situarte sobre el abdomen y los antebrazos. Flexiona la rodilla derecha, alarga hacia atrás la mano de ese mismo lado para sujetar el dorso del pie derecho, y extiende con fuerza la pierna contra la mano mientras te elevas para adoptar el medio arco. Mantén esta postura durante varias respiraciones. Descansa boca abajo antes de cambiar de lado. ◉ *Más dulce: mantén el codo izquierdo metido bajo el hombro izquierdo como apoyo.* ◉ *Más picante: eleva el brazo y la pierna izquierdos para adoptar la media langosta por el lado izquierdo y el medio arco por el derecho.*

Flexiona ambas rodillas, alarga las manos hacia atrás hasta los pies, y luego extiende con fuerza las piernas y elévate hasta el arco completo; mantén esta postura durante varias respiraciones. Descansa en postura del niño también durante varias respiraciones.

Vuelve a la plancha y pivota hacia la mano izquierda, alargando bien alta la derecha, con las caderas elevadas para adoptar la plancha lateral. Mantenla durante varias respiraciones. ◉ *Condimento: baja el codo inferior hasta la esterilla.* ◉ *Más dulce: flexiona ambas rodillas, con las espinillas paralelas a la parte posterior de la esterilla.* ◉ *Más picante: pon un pie encima del otro o eleva la pierna superior.*

Desciende hasta situarte sobre la cadera izquierda, junta las rodillas sin forzar y gira sobre ti mismo hacia la izquierda para realizar una torsión fácil. Permanece en ella durante varias respiraciones. Relájate y haz una flexión lateral hacia la derecha para adoptar la postura de la sirena. Cambia de lado y repite desde la plancha lateral.

Elévate hasta la postura inversa de la mesa durante varias respiraciones. ◉ *Más dulce: mantén las caderas bajas, pero eleva el pecho.* ◉ *Más picante: estira las piernas para adoptar la plancha inversa.*

Termina en posición sentada, flexionando el tronco sobre las piernas durante varias respiraciones.

**LA PLANCHA**

**MEDIO ARCO**

*Más picante: media langosta*

**ARCO COMPLETO**

**POSTURA DEL NIÑO**

**LA PLANCHA LATERAL**

**TORSIÓN FÁCIL**

**LA SIRENA**

**POSTURA INVERSA DE LA MESA**
*Posición inicial*

*Posición final*

*Más picante: la plancha inversa*

**FLEXIÓN DE TRONCO SENTADA**

# El bailarín/el árbol/la paloma/el águila

*Esta rutina emplea la secuencia fluida de equilibrio en postura de pie como modelo para el trabajo de la zona media en la esterilla: cambiar la relación de una postura con la gravedad altera su efecto.*

Túmbate en postura de la esfinge, con el antebrazo izquierdo diagonal sobre la esterilla. Flexiona la rodilla derecha, alargando la mano derecha hacia el tobillo de ese mismo lado para adoptar el medio arco. ● *Más dulce: tira del talón derecho hacia los glúteos para un estiramiento del cuádriceps sin extensión brusca de pierna.*

Elévate para colocarte sobre las manos y las rodillas. Da un paso con el pie derecho por detrás del izquierdo, como si rotaras para adoptar la plancha lateral sobre la rodilla izquierda, llevando la mano derecha hacia la cadera o hacia el techo. Permanece en posición durante varias respiraciones. Cambia de lado.

Elévate para colocarte sobre las manos y las puntas de los pies para adoptar la postura de la plancha. Presiona contra la mano izquierda y rueda hacia el borde externo del pie izquierdo para hacer la plancha lateral mientras das un paso con el pie derecho por delante de las caderas para acabar en forma de 4. Alarga bien alto el brazo derecho. Permanece en esta posición durante varias respiraciones. Cambia de lado.

Túmbate de espaldas. Cruza la rodilla izquierda apretada sobre la derecha, con el codo derecho sobre el izquierdo. Inspira, eleva las rodillas, los hombros y la cabeza, espira, desplaza los codos y las rodillas acercándolos entre sí para realizar el encogimiento abdominal del águila. Completa varios ciclos de encogimientos abdominales antes de descansar. Cambia de lado. ● *Más dulce: mantén los hombros y la cabeza en el suelo mientras haces el encogimiento abdominal, o sostén la cabeza con las manos.*

LA ESFINGE

MEDIO ARCO

LA PLANCHA LATERAL SOBRE UNA RODILLA

LA PLANCHA LATERAL EN FORMA DE 4

ENCOGIMIENTOS ABDOMINALES DEL ÁGUILA
*Posición inicial*

*Posición final*

DECÚBITO PRONO

# La zona media de la mesa

*Esta secuencia fortalece la espalda y los glúteos, al mismo tiempo que pone a prueba tu sentido del equilibrio.*

Empieza sobre las manos y las rodillas en postura de la mesa. Extiende el brazo izquierdo y la pierna derecha para adoptar la postura del perro de muestra. ● *Condimentos: mantén la extensión durante varias respiraciones, o hazla dinámicamente; inspira, extiende el brazo y la pierna; espira, vuelve a la postura de la mesa. Cambia de lados.*

Desde el perro de muestra, flexiona la rodilla derecha y coge el pie con la mano izquierda. Permanece en la postura de la ballesta durante varias respiraciones. Repite con el otro lado.

Rueda para adoptar la plancha lateral sobre la rodilla izquierda, con el pie derecho por detrás del izquierdo; permanece en posición durante varias respiraciones. Eleva la pierna derecha para adoptar la media luna sobre una rodilla; mantén la postura durante varias respiraciones más. Repite por el otro lado. ● *Más dulce: mueve la mano derecha hasta la cadera derecha y gírate para fijar la mirada en el suelo.* ● *Más picante: alarga la mano derecha bien alta y gírate para fijar la mirada en el pulgar derecho.*

Termina con varias respiraciones en postura del niño.

POSTURA DE LA MESA

EL PERRO DE MUESTRA

POSTURA DE LA BALLESTA

LA PLANCHA LATERAL SOBRE UNA RODILLA

LA MEDIA LUNA SOBRE UNA RODILLA

POSTURA DEL NIÑO

DECÚBITO PRONO

# Planchas y zancadas para la zona media

*Acumula calor interno, cultiva la fuerza del tren superior y libera las caderas en esta rutina picante.*

Empieza en el perro mirando hacia abajo o en la postura de la mesa. Inspira y eleva la pierna izquierda, manteniendo las caderas niveladas. Espira y cambia a la plancha redondeada, llevando la rodilla izquierda hacia la nariz. Repite varias series de oscilaciones de pierna, y luego da un paso con el pie izquierdo entre las manos para adoptar la zancada de la luna creciente. Permanece en esta postura durante varias respiraciones. Cambia de lado. ● *Más dulce: oscila la pierna desde la postura de la mesa. Mantén la rodilla de atrás baja en la zancada de la luna creciente, y pon las manos en el suelo o sobre bloques de yoga.* ● *Más picante: mantén la rodilla de atrás alta y eleva las manos hasta la postura de oración o por encima de la cabeza, para mantener el equilibrio en la zancada de la luna creciente. Entre lados, haz una secuencia fluida desde el perro mirando hacia abajo, pasando por la plancha alta, la plancha baja y el perro mirando hacia arriba, para volver al perro mirando hacia abajo.*

Desde el perro mirando hacia abajo o la postura de la mesa, inspira y eleva la pierna izquierda, espira y cambia a la plancha, cruzando la rodilla izquierda hacia el codo derecho. Repite varias rondas, y luego extiende el pie izquierdo hacia la derecha mientras elevas la mano derecha para adoptar la plancha lateral. Permanece en posición durante varias respiraciones. Cambia de lado.

Desde el perro mirando hacia abajo o la postura de la mesa, inspira y eleva la pierna izquierda. Espira, cambia a la plancha, y separa mucho la rodilla izquierda del codo de ese mismo lado. Repite varias rondas, y luego da un paso con el pie izquierdo separándolo mucho de la mano de ese mismo lado para realizar la postura del lagarto. Permanece en posición durante varias respiraciones. Cambia de lado. ● *Condimento: con la rodilla izquierda y los dedos de ese pie apuntando en la misma dirección, rueda hasta su borde externo, rotando el tronco hacia la izquierda. Baja la rodilla derecha o elévala.*

EL PERRO
MIRANDO
HACIA
ABAJO

*Más dulce: postura de la mesa*

OSCILACIÓN DE LA PIERNA HASTA
LA PLANCHA REDONDEADA

LA ZANCADA DE LA
LUNA CRECIENTE

*Más dulce: con la rodilla
de atrás baja*

EL PERRO MIRANDO HACIA ABAJO

OSCILACIÓN DE LA PIERNA HASTA EL CODO CONTRARIO

PLANCHA
LATERAL CON EXTENSIÓN
DE PIERNA

EL PERRO MIRANDO
HACIA ABAJO

OSCILACIÓN DE PIERNA HASTA EL ESCALADOR DE MONTAÑAS

POSTURA DEL LAGARTO

DECÚBITO PRONO

# «El mundo de Christina»

*Esta rutina equilibra la musculatura de las caderas y calma el sistema nervioso, al mismo tiempo que libera los músculos que sostienen la columna vertebral. La posición de torsión en decúbito prono recuerda al famoso cuadro de Andrew Wyeth con cuyo título he puesto nombre a este ejercicio.*

Empieza sobre las manos y las rodillas en postura de la mesa. «Camina» con la rodilla izquierda para juntarla con la derecha, bajando la cadera izquierda al suelo. Gira y mira por encima del hombro para realizar la torsión en decúbito prono. Permanece en posición durante varias respiraciones. ◉ *Condimento: baja hasta los codos o lleva el pecho hasta el suelo, con los brazos bien abiertos.*

Eleva el tronco y desplaza la espinilla derecha por detrás de ti, con la planta del pie izquierdo cerca de la rodilla derecha. Inclínate en una diagonal sobre la pierna izquierda colocándote sobre las palmas de las manos o los codos para realizar un estiramiento de la cadera. Permanece en la postura de la paloma real durante varias respiraciones. ◉ *Condimento: baja la frente a un bloque de yoga, inclina la columna vertebral más hacia la izquierda o más hacia la derecha.*

Manteniendo la pierna como en la postura de la paloma, eleva el tronco, presiona con la mano izquierda contra el suelo por detrás de ti, eleva las caderas, y pon los dedos del pie en punta mientras te arqueas en una extensión de columna. Permanece en la postura del camello salvaje varias respiraciones.

Desciende al suelo, y realiza varias respiraciones en postura del niño con las rodillas separadas. Repite la secuencia por el otro lado.

POSTURA DE LA MESA

LA TORSIÓN EN DECÚBITO PRONO          *Condimento*          *Condimento*

LA PALOMA REAL

EL CAMELLO SALVAJE

POSTURA DEL NIÑO CON LAS RODILLAS SEPARADAS

Rutinas de suelo

# La zona media dinámica

*Haciéndose eco de ejercicios de Pilates, esta rutina desarrolla la fuerza de la zona media y la precisión, al mismo tiempo que pone a prueba toda la musculatura abdominal tanto en estabilización como en articulación.*

Empieza en postura sentada bien erguida, con las piernas extendidas. Espira y rueda lentamente para descender al suelo. Inspira y eleva las piernas sobre las caderas; espira y rueda sobre las caderas para separarlas del suelo, con las piernas por encima de la cabeza. Inspira para bajar las caderas al suelo; espira y baja las piernas a la esterilla. Inspira y elévate rodando hasta la postura del báculo sentado, espira y flexiona el tronco. Repite varias rondas. ◉ *Más dulce: omite rodar hacia atrás, mantén las rodillas flexionadas y las manos en los muslos durante todo el ejercicio.* ◉ *Más picante: eleva los brazos por encima de la cabeza mientras subes y bajas rodando sobre la espalda.* ◉ *Condimentos: muévete más lentamente. Mientras subes y desciendes rodando sobre la espalda y elevas y bajas las piernas, haz pausas entre cada fase durante una espiración antes de moverte unos pocos centímetros más.*

Tumbado de espaldas, coloca las piernas en la vertical de las caderas, abre bien los brazos, asienta los hombros en el suelo y baja lentamente las rodillas a un lado y el otro (como un péndulo: tictac, tictac...). Repite varias rondas. ◉ *Más dulce: mantén las rodillas flexionadas.* ◉ *Más picante: estira las rodillas; muévete despacio y mantén la posición con las rodillas de lado.*

Baja los pies al suelo y eleva las caderas para adoptar la postura del puente. Permanece en ella durante varias respiraciones. ◉ *Más dulce: presiona con las manos contra el suelo.* ◉ *Más picante: entrelaza las manos detrás de la espalda.*

EL BÁCULO SENTADO

BAJAR RODANDO SOBRE LA COLUMNA

ELEVACIÓN DE PIERNAS

RODAR HACIA ATRÁS

BAJAR LAS CADERAS

BAJAR LAS PIERNAS

ELEVARSE RODANDO SOBRE LA ESPALDA
HASTA EL BÁCULO SENTADO

FLEXIÓN DE TRONCO

TICTAC,
TICTAC

*Más dulce: rodillas
flexionadas*

EL PUENTE

# Secuencia fluida de la cabeza a la rodilla

*Libera las caderas y la columna en todas las direcciones con esta rutina en posición sentada.*

Empieza en posición sentada, con las piernas extendidas frente a ti. Flexiona la rodilla derecha y coloca el pie derecho en el suelo junto a la rodilla izquierda. Gira a la derecha para la torsión sentada intensa, sujetando la rodilla derecha con la mano izquierda o la parte interna del codo izquierdo. Permanece en posición durante varias respiraciones. ● *Más picante: desliza la parte externa del codo izquierdo hasta el borde externo de la rodilla derecha.*

Relaja la torsión y baja la rodilla derecha hacia la derecha, con la planta del pie derecho contra el muslo izquierdo. Flexiona el tronco sobre la pierna izquierda para adoptar la postura de la cabeza a la rodilla; mantenla durante varias respiraciones.

Eleva el tronco y gira hacia la derecha, quedando de frente a la rodilla derecha flexionada. Haz una flexión lateral sobre la pierna izquierda, alargando el brazo derecho por encima de la cabeza. ● *Más dulce: apoya el brazo derecho en la cadera derecha o, alargando el antebrazo por detrás de la espalda, hacia la cadera izquierda.* ● *Más picante: inclínate más a la izquierda, y estira el brazo derecho hacia los dedos del pie izquierdo.*

Eleva el tronco y presiona la mano derecha contra el suelo. Eleva las caderas y coloca los dedos del pie derecho en punta para adoptar la plancha lateral, apoyándote sobre la espinilla derecha mientras estiras la parte anterior de la cadera izquierda, con la mano izquierda alargándose por encima del hombro izquierdo. ● *Más dulce: apoya la mano izquierda sobre la cadera izquierda.* ● *Más picante: alarga la mano izquierda por encima de la mano derecha en una extensión de columna.*

LA TORSIÓN SENTADA INTENSA, CON
EXTENSIÓN DE PIERNA

POSTURA DE LA CABEZA A LA RODILLA

POSTURA DE LA CABEZA A LA RODILLA
CON GIRO

VARIANTE DE LA PLANCHA LATERAL

# Secuencia fluida de la banda IT

*Ocúpate de la parte externa de la cadera y de la banda iliotibial (IT) con esta secuencia fluida que te hace girar como una peonza sobre la esterilla.*

Empieza sentado con las piernas cruzadas y el pie derecho junto al muslo izquierdo. Gira a la derecha para realizar la torsión intensa sentada, llevando la parte interna del codo a la rodilla. Permanece en ella varias respiraciones. ⊙ *Más dulce: sujeta la rodilla derecha con la mano izquierda y estira la pierna izquierda.* ⊙ *Más picante: lleva el lado externo del codo izquierdo hasta la rodilla.*

Relaja la torsión y baja la rodilla derecha hacia la izquierda. Eleva el brazo izquierdo y flexiona el codo, oscila el brazo derecho por detrás de ti y flexiona el codo. Flexiona el tronco para adoptar la postura de la cara de vaca durante varias respiraciones. ⊙ *Condimento: usa un cinturón para conectar las manos detrás de la espalda, o alárgalas entre sí.*

Suelta las manos hacia la izquierda, ponte de puntillas y pivota para adoptar la postura del lagarto, con la rodilla derecha por fuera de la mano de ese mismo lado. Permanece en ella durante varias respiraciones. ⊙ *Condimento: la rodilla izquierda puede estar arriba o abajo; el tronco, más alto o más bajo.*

Ponte de puntillas y haz un cuarto de torsión a la izquierda para realizar una flexión de tronco con las piernas abiertas. Planta la mano derecha debajo de la cara y gira a la izquierda para la torsión. Mantén la posición varias respiraciones; cambia de lado. ⊙ *Condimentos: eleva la mano izquierda hacia el cielo; da una zancada amplia con la rodilla izquierda.*

Invierte la secuencia, caminando hacia la izquierda para adoptar la postura del lagarto, girando hacia delante para realizar la postura de la cara de vaca, y terminando en la torsión intensa sentada.

TORSIÓN INTENSA SENTADA

POSTURA DE LA CARA DE VACA

POSTURA DEL LAGARTO

FLEXIÓN DE TRONCO DE PIE CON
LAS PIERNAS ABIERTAS Y TORSIÓN

# Flexiones, extensiones y el camello

*Mueve la columna vertebral en todas las direcciones mientras liberas la región de las caderas con esta rutina.*

Empieza con las piernas en una posición de tijeras muy abierta. Flexiona el tronco y permanece en posición durante varias respiraciones. ● *Más dulce: apoya las tuberosidades isquiáticas en una manta.*

Inclina el tronco sobre la pierna derecha, para realizar una flexión lateral. Permanece en posición varias respiraciones. Cambia de lado. ● *Condimento: lleva la mano izquierda a la cadera izquierda o derecha (alarga el brazo por detrás de la espalda).*

Ponte de rodillas. Desplaza la mano derecha hasta la cadera de ese mismo lado mientras estiras el brazo izquierdo sobre el hombro derecho y te arqueas para realizar una ligera extensión de columna y adoptar el estiramiento lateral del camello. Permanece en posición varias respiraciones. Cambia de lado.

Lleva las manos a la región lumbar y eleva el pecho para adoptar la postura del camello. Permanece en ella varias respiraciones. ● *Más picante: baja las manos hasta los talones.*

Adopta la postura del niño con las rodillas separadas. Desliza el brazo izquierdo por debajo de la axila derecha para añadir una torsión; apóyate en la frente o en la mejilla izquierda. Permanece en posición varias respiraciones. Cambia de lado.

FLEXIÓN DE TRONCO SENTADA CON LAS PIERNAS ABIERTAS

FLEXIÓN DE TRONCO SENTADA CON LAS PIERNAS ABIERTAS Y FLEXIÓN LATERAL

ESTIRAMIENTO LATERAL DEL CAMELLO

EL CAMELLO

*Más picante: manos a los talones*

POSTURA DEL NIÑO CON LAS RODILLAS SEPARADAS Y TORSIÓN

POSICIÓN SENTADA

# La mesa/barcas/flexiones

*Desarrolla la fuerza de la zona media y la flexibilidad de las caderas después de la sesión y equilibra la fuerza de los abdominales con la de la espalda.*

Empieza en posición sentada, con las rodillas flexionadas, las manos detrás de ti y los dedos orientados hacia delante. Presiona con las manos y los pies para levantarte y adoptar la postura inversa de la mesa. Permanece en ella varias respiraciones. ⊙ *Más dulce: inclina las manos de manera distinta si eso se ajusta a tus hombros (los dedos de las manos pueden orientarse hacia el exterior e incluso hacia atrás).*

Baja las caderas al suelo directamente. Eleva los brazos y las piernas para adoptar la postura de la barca, manteniendo el pecho abierto. Permanece en ella varias respiraciones. ⊙ *Más dulce: mantén las rodillas flexionadas y agarra la parte posterior de los muslos.* ⊙ *Más picante: estira las piernas y eleva los brazos para dejarlos paralelos al suelo, paralelos a las piernas, o situarlos por encima de la cabeza.*

Cruza los tobillos, baja las piernas y flexiona el tronco. Permanece en posición varias respiraciones.

Vuelve a la postura inversa de la mesa durante varias respiraciones; relaja, y luego elévate a la postura de la barca, añadiendo esta vez una torsión. Inspira en el centro, espira para girar lateralmente. Hazlo dinámicamente varias veces.

Cruza los tobillos, con la pierna contraria por delante, y flexiona el tronco.

Incorpórate y vuelve a la postura inversa de la mesa. ⊙ *Más picante: vuelve a la postura inversa de la plancha.* Permanece en ella durante varias respiraciones.

Al adoptar por última vez la postura de la barca, alterna entre la barca y la media barca: inspira y baja las piernas y el tronco hacia el suelo; espira y vuelve a elevarte a la barca. Repite varias series.

Estira las piernas al frente y flexiona el tronco durante varias respiraciones.

POSTURA INVERSA DE LA MESA

POSTURA DE LA BARCA

*Más picante: con los brazos por encima de la cabeza*

FLEXIÓN DE TRONCO CON
LAS PIERNAS CRUZADAS

POSTURA INVERSA DE LA MESA

LA BARCA CON TORSIÓN

FLEXIÓN DE TRONCO CON
LAS PIERNAS CRUZADAS

POSTURA INVERSA DE LA MESA

*Más picante: postura inversa de la plancha*

POSTURA DE LA BARCA    POSTURA DE LA MEDIA BARCA

FLEXIÓN DE TRONCO CON
LAS PIERNAS ESTIRADAS

DECÚBITO SUPINO

# Estiramientos con correa

*El suelo soporta la espalda mientras tú estiras las piernas, protegiendo la columna vertebral para centrar la relajación en las caderas y los muslos.*

Túmbate de espaldas con una correa o cinturón alrededor de la base de los dedos de los pies. Estira la pierna izquierda hasta encontrar un estiramiento de los isquiotibiales. Mantenlo varias respiraciones. ● *Más dulce: flexiona la rodilla derecha y apoya el pie derecho en el suelo.*

Flexiona la rodilla izquierda hacia la axila izquierda para adoptar la media postura del bebé feliz. Empuja con el talón para liberar la parte anterior de la cadera derecha. Mantén la posición varias respiraciones.

Mueve la correa a la mano izquierda y, manteniendo activa la pierna derecha, estira la rodilla izquierda mientras bajas la pierna izquierda hacia la izquierda. Permanece en posición varias respiraciones.

Volviendo al centro, mantén la cadera izquierda en el suelo mientras mueves la correa a la mano derecha y cruzas la pierna izquierda hacia la derecha para realizar un estiramiento de la banda iliotibial (IT) y de la parte externa de la cadera. Permanece en posición varias respiraciones.

Con la correa aún en la mano derecha, rueda sobre ti para colocarte sobre la parte externa de la cadera derecha mientras cruzas la pierna izquierda y haces una torsión de columna. ● *Más dulce: flexiona la rodilla izquierda, sujetando la parte externa de la rodilla con la mano derecha.* ● *Más picante: mantén el hombro izquierdo en el suelo y gira a la izquierda la mirada.*

ESTIRAMIENTO DE ISQUIOTIBIALES

MEDIA POSTURA DEL BEBÉ FELIZ

ESTIRAMIENTO DE LA PARTE INTERNA DEL MUSLO

ESTIRAMIENTO DE LA BANDA IT Y LA CADERA

TORSIÓN
CRUZANDO EL CUERPO
CON LA PIERNA

# Torsiones en posición yacente

*Equilibran la musculatura de las caderas y liberan la columna vertebral.*

Túmbate de espaldas, con las rodillas flexionadas. Cruza el tobillo derecho sobre la rodilla izquierda para adoptar la postura del 4. Permanece en ella varias respiraciones. ◉ *Condimentos: lleva las piernas hacia el pecho; baja las rodillas entre 3 y 5 cm hacia cualquiera de los dos lados.*

Tira del talón izquierdo hasta la cadera derecha mientras bajas la postura del 4 hacia la izquierda. Apoya el pie derecho en el suelo o en el muslo izquierdo para realizar la torsión intensa en decúbito supino. Permanece en ella varias respiraciones. ◉ *Más picante: alarga las manos hacia los talones opuestos.*

Mueve toda la postura del 4 hacia el otro lado, apuntando con las rodillas hacia la derecha mientras te apoyas en el borde interno del pie izquierdo para realizar una torsión intensa en decúbito supino inversa. Permanece en ella varias respiraciones. ◉ *Más dulce: baja el pie derecho al suelo y acerca la rodilla izquierda a la derecha.* ◉ *Condimento: eleva uno o ambos brazos a lo largo del suelo por encima de la cabeza.*

Entrelaza las piernas, con la rodilla derecha apretada sobre la izquierda, y baja las rodillas hacia la izquierda para realizar una torsión con las piernas cruzadas. Permanece en ella varias respiraciones. ◉ *Más dulce: descruza las piernas o apóyalas por abajo en un almohadón.* ◉ *Más picante: mantén el hombro derecho bajo mientras vuelves la mirada a la derecha.*

Cambia de lado y empieza desde el principio.

POSTURA DEL 4

TORSIÓN INTENSA
EN DECÚBITO SUPINO

TORSIÓN INTENSA EN DECÚBITO
SUPINO INVERSA

TORSIÓN CON LAS PIERNAS CRUZADAS

# Serie en pared

*Disfruta de los beneficios de la inversión y liberación de las caderas en esta rutina multitarea.*

Empieza con las piernas elevadas por la pared. Desplaza la pierna izquierda hacia el tronco, girando el tobillo unas cuantas veces en cada dirección. Sujeta sin apretar el muslo izquierdo con las manos mientras permaneces varias respiraciones en el estiramiento de isquiotibiales.

Flexiona la rodilla izquierda y bájala hasta la axila izquierda para adoptar la media postura del bebé feliz. Permanece en ella varias respiraciones. ● *Más dulce: apoya el pie izquierdo en la pared.*

Manteniendo flexionada la rodilla izquierda, cruza la cara externa del tobillo izquierdo sobre el muslo derecho para adoptar la postura del 4. Permanece en ella varias respiraciones. ● *Más picante: pega la planta del pie derecho a la pared y flexiona la rodilla derecha.*

Repite por el otro lado.

Si tienes sanas la parte superior de la espalda y el cuello, flexiona ambas rodillas y eleva las caderas para adoptar la postura del puente en la pared. Las manos pueden suportar la región lumbar. Permanece en posición varias respiraciones antes de descender lentamente.

Baja ambas rodillas hacia la derecha, llevando los pies a la base de la pared. Permanece varias respiraciones en la torsión, y luego repite por el otro lado. ● *Más dulce: apártate unos centímetros de la pared.*

PIERNAS ELEVADAS POR LA PARED

ESTIRAMIENTO DE ISQUIOTIBIALES

MEDIA POSTURA DEL BEBÉ FELIZ

POSTURA DEL 4

*Más picante: rodilla derecha flexionada*

EL PUENTE/MEDIA POSTURA SOBRE LOS HOMBROS

TORSIÓN CON AMBAS RODILLAS

## Vueltas a la calma reconstituyentes | Incluye al menos una de estas rutinas como postre al final de tu práctica, o combina varias para prolongar tu práctica y prepararte para *savasana*.

RESTABLECIMIENTO DE LAS CADERAS

## El puente con bloque de yoga

*Especialmente útil cuando hayas pasado gran parte de la jornada sentado, esta rutina se centra en los flexores de la cadera.*

Desliza un bloque de yoga o una pila de almohadas o cojines bajo la pelvis para realizar la postura del puente soportada. Asegúrate de que el soporte esté bajo la parte ósea posterior de la pelvis y la superior de los glúteos. Permanece en ella varias respiraciones hasta asentarte en la postura.

Cuando estés cómodo, estira las piernas y los brazos separándolos entre sí. Permanece en esta posición varias respiraciones más.

Con la mano derecha, abraza la rodilla de ese mismo lado, tirando de ella hacia el pecho mientras extiendes la pierna izquierda y alargas el brazo izquierdo a lo largo del suelo por encima de la cabeza. Permanece en esta posición varias respiraciones. Cambia de lado.

Flexiona las rodillas y presiona con los pies contra el suelo para elevar las caderas, retira el bloque, baja las caderas y abraza las rodillas acercándolas al pecho.

EL PUENTE CON BLOQUE DE YOGA

ESTIRAMIENTO DE TODO EL CUERPO SOBRE BLOQUE DE YOGA

ABRAZAR LA RODILLA SOBRE BLOQUE DE YOGA

ABRAZAR LAS RODILLAS

# La cara de vaca/el zapatero

*Equilibra las líneas interna y externa de las piernas en este restablecimiento de las caderas mediante dos posturas.*

Túmbate de espaldas. Cruza la rodilla izquierda apretada sobre la derecha y abraza ambas rodillas tirando de ellas hacia el pecho para adoptar la postura yacente de la cara de vaca. Permanece en ella varias respiraciones. Cambia de lado. ● *Más dulce: cruza los tobillos en vez de las rodillas.* ● *Más picante: desliza las manos hacia los tobillos contrarios, para girarlos hacia las caderas opuestas.*

    Desliza las plantas de los pies para juntarlas mientras las rodillas descienden hacia el suelo, para adoptar la postura yacente del zapatero. Abre bien los brazos para formar por detrás de la cabeza una V invertida, una T o un rombo. ● *Más dulce: apoya las rodillas en bloques, almohadas o cojines. Usa una almohada o cojín para la cabeza.*

POSTURA YACENTE DE LA CARA
DE VACA

*Más dulce: cruza los tobillos*

POSTURA YACENTE DEL ZAPATERO

*Más dulce: con las
rodillas apoyadas*

RESTABLECIMIENTO DE LA COLUMNA VERTEBRAL

# Extensiones de columna y el bebé feliz

*Elige el grado de extensión de columna adecuado a tu nivel de energía.*

Túmbate de espaldas con las rodillas flexionadas y las manos junto a las caderas. Presiona con los pies y eleva las caderas para adoptar la postura del puente. Permanece en ella varias respiraciones. ● *Más dulce: desliza un bloque de yoga bajo la pelvis para hacer el puente soportado.* ● *Condimento: recoge las escápulas hacia la columna vertebral y entrecruza los dedos de las manos por detrás de la espalda, presionando con los meñiques contra la esterilla.*

Lleva las manos al suelo, con los dedos orientados hacia los hombros y los codos flexionados sobre las muñecas. Eleva la parte inferior del cuerpo para adoptar el puente, y luego presiona con las manos estirando los brazos, y eleva la parte superior del cuerpo para adoptar la postura del arco mirando hacia arriba. Permanece en ella varias respiraciones. ● *Más picante: eleva una pierna, con la rodilla flexionada o la pierna estirada. Cambia de lado.*

Lleva las rodillas hacia las axilas para adoptar el bebé feliz. Permanece en esta postura varias respiraciones. ● *Condimentos: agárrate de la parte posterior de las rodillas, los tobillos o los pies; acúnate de lado a lado.*

EL PUENTE

*Más dulce: el puente soportado*

EL ARCO MIRANDO HACIA ARRIBA

*Más picante: con la pierna elevada*

*Más picante: con la pierna estirada*

EL BEBÉ FELIZ

# Inversiones sin soporte

*Esta secuencia desarrolla la resistencia, así como nuevos niveles de concentración y atención.*

Partiendo de decúbito supino, eleva las caderas y transfiere el peso corporal a los hombros (no al cuello ni a la cabeza) mientras te elevas para adoptar la postura sobre los hombros durante varias respiraciones. ◉ *Condimentos: apoya los hombros sobre una manta; flexiona las rodillas.*

Flexiona las rodillas y baja los pies por detrás de la cabeza para adoptar la postura del arado. Permanece en ella varias respiraciones. ◉ *Más dulce: mantén las manos sobre la región lumbar.* ◉ *Más picante: entrecruza las manos en el suelo, o alárgalas hacia los pies.*

Rodando sobre la espalda, vuelve a bajar las caderas a la esterilla, extiende las piernas, y presiona con los antebrazos mientras sacas el pecho para adoptar la postura del pez. Permanece en ella varias respiraciones. ◉ *Más dulce: flexiona las rodillas.* ◉ *Más picante: eleva las piernas y los brazos como en la postura de la barca.*

POSTURA SOBRE LOS HOMBROS

EL ARADO
*Más dulce*

EL PEZ

# Inversiones soportadas

*Este planteamiento más suave de las inversiones emplea accesorios para lograr un efecto calmante y el restablecimiento de la columna vertebral.*

Empieza en postura del puente sobre el bloque de yoga. Eleva las piernas en la vertical de las caderas para adoptar la postura sobre los hombros soportada. Permanece en ella varias respiraciones.

Flexiona las rodillas y bájalas hacia los hombros. Permanece en la postura del arado con las piernas flexionadas durante varias respiraciones. ◉ *Más picante: rodando sobre la columna aparta las caderas del bloque.*

Desliza el bloque bajo la espalda con su borde superior situado a lo largo de las puntas inferiores de las escápulas, en la postura del pez soportada. Permanece en ella varias respiraciones. ◉ *Condimento: abre bien los brazos.* ◉ *Más dulce: añade una almohada para la cabeza.*

EL PUENTE SOPORTADO

LA POSTURA SOBRE LOS
HOMBROS SOPORTADA

*Más dulce: con las piernas flexionadas*

EL ARADO CON LAS RODILLAS
FLEXIONADAS
*Más picante*

EL PEZ SOPORTADO
*Condimento*

RESTABLECIMIENTO DEL SISTEMA NERVIOSO

# Piernas elevadas por la pared

*La inversión de las piernas ayuda a reducir la hinchazón y calma el sistema nervioso.*

Acerca lo más posible la pelvis a la pared y apoya en ella los talones para adoptar la postura con las piernas elevadas por la pared. O bien añade un bloque de yoga bajo la pelvis para hacer la misma postura, pero soportada. ● *Más dulce: utiliza un almohadón para apoyar la pelvis.*

POSTURA CON LAS PIERNAS ELEVADAS POR LA PARED

POSTURA CON LAS PIERNAS ELEVADAS POR
LA PARED SOPORTADA

*Más suave: con almohadón*

# Seis ejercicios de columna reconstituyentes

*Deléitate en estas posturas pasando varios minutos en cada una. Emplea accesorios para rellenar cualquier hueco que haya entre el suelo y tú; si tienes una bolsa-antifaz (una almohadilla ligeramente lastrada para tapar los ojos), empléala en la postura del zapatero soportada.*

Échate sobre un almohadón cilíndrico o una pila de almohadas o cojines, con las caderas en el suelo, las rodillas separadas y los pies juntos. ● *Más dulce: coloca soportes bajo las rodillas.*

Gira el abdomen hacia el almohadón, con las rodillas flexionadas. Cambia de lado.

Coloca el almohadón atravesado, en vez de a lo largo, y haz sobre él una flexión lateral, añadiendo, si es preciso, soportes blandos para la cabeza. Cambia de lado.

Separa bien las rodillas, colocándolas a cada lado del almohadón mientras apoyas en él el abdomen y el pecho para adoptar la postura del niño.

POSTURA DEL ZAPATERO SOPORTADA

TORSIÓN HACIA EL ALMOHADÓN

FLEXIÓN LATERAL SOBRE ALMOHADÓN

POSTURA DEL NIÑO SOBRE ALMOHADÓN

RESTABLECIMIENTO DEL SISTEMA NERVIOSO

# *Savasana* (postura del cadáver)

*Aunque permanezcas en ella solamente un minuto, no dejes de disfrutar de esta postura inmediatamente después de tu práctica; es la guinda tras una comida satisfactoria.*

Estírate cuan largo eres sobre la esterilla, disponiendo las piernas, la pelvis, la columna vertebral y los brazos de tal modo que puedas sentirte totalmente relajado. Permanece en esta postura varios minutos. ● *Más dulce: añade accesorios para rellenar los huecos existentes entre el cuerpo y el suelo, especialmente detrás de las rodillas y como almohada. Añade una manta para sentir calor y peso. Agrega una bolsa-antifaz para quedarte a oscuras.*

*SAVASANA*
SIN SOPORTE

*Más suave:*
*con almohadón*

CONCIENCIA RESPIRATORIA Y MEDITACIÓN

# Respirar en el espacio

*Prueba este ejercicio respiratorio en una de las posiciones ilustradas, para experimentar distintas relaciones con la gravedad. Inclúyelo antes, durante y después de tu práctica.*

Ponte cómodo y sintonízate con el movimiento de la respiración en el espacio de tu cuerpo. Observa por dónde entra y cuál es su temperatura tanto a la entrada como a la salida. Nota el punto más lejano en el que sientas la respiración. Date cuenta de qué se mueve mientras tu inspiración continúa, qué sensación produce estar lleno de aire, qué se mueve mientras continúa la espiración, y qué sensación produce estar vacío de aire. Continúa este ejercicio de consciencia durante varios minutos.

POSTURA SENTADA

*SAVASANA* BOCA ABAJO

*Más dulce: con almohadón y bloque de yoga*

POSTURA DEL NIÑO

*SAVASANA*

*Más dulce:
con almohadón*

# Respirar en el tiempo

*Cuando observas el movimiento de la respiración en el tiempo, su respuesta suele ser alargarse y hacerse más profunda.*

Ponte cómodo y sintonízate con la duración de la respiración. Observa la duración de tus inspiraciones y la de tus espiraciones. Date cuenta de la duración de la pausa entre inspiración y espiración, y la de la pausa entre espiración e inspiración. Continúa durante varios minutos.

POSTURA SENTADA

Vueltas a la calma

# Meditación contando respiraciones

*No te asustes si te resulta difícil mantener la concentración incluso para contar hasta 10.*
*Tu capacidad para mantener la atención en el momento presente mejorará con la práctica.*

Ponte cómodo y elige un número de 10 a 50 hasta el que contar. Inspirando, piensa: uno; espirando, piensa: uno. Al inspirar, piensa: dos; al espirar, piensa: dos. Sigue así hasta llegar al número elegido o hasta perder la concentración, punto en el cual puedes volver a empezar desde el uno. Continúa durante varios minutos (usa un cronómetro para no tener que hacer trampas). ● *Condimentos: cuenta cada mitad de la respiración, inspirando con «uno» y espirando con «dos», etc. O bien cuenta hacia atrás desde un número mayor hasta llegar a uno.*

POSTURA SENTADA          *Más dulce: con bloque de yoga*

# Meditación con mantra

*Un mantra es una herramienta para centrar la mente. Puede ser una frase personalmente significativa, una oración, o una palabra, como «paz».*

Ponte cómodo y elige un mantra —una palabra, frase o versículo que repetir para ti—. Repite el mantra en silencio o en voz alta, desarrollando un ritmo que te ayude a centrar la mente. Continúa durante varios minutos (usa un cronómetro para no tener que hacer trampa). ◉ *Condimento: coordina el mantra con la respiración.*

POSTURA SENTADA

# Respiración en tres partes

*Refina tu respiración aislando los movimientos de inspiración y espiración en tres partes. Siente el movimiento que acompaña a tu respiración en el abdomen, la caja torácica y la parte superior del pecho como las tres regiones.*

Ponte cómodo y concentra la atención en tu respiración. Introduce tu inspiración un tercio del camino, y haz entonces una breve pausa. Continúa inspirando hasta estar lleno de aire en dos tercios, y haz otra pausa. Termina inspirando totalmente, y luego haz una pausa. Espira también en tres partes. Continúa durante varias rondas, y relaja. ● *Más dulce: divide la inspiración en tres partes, pero mantén la espiración continua y fluida, o disfruta de una inspiración continua y haz pausas durante el curso de una espiración en tres partes.* ● *Condimentos: siente cómo entra la respiración de arriba abajo, observando el movimiento de la inspiración en la parte superior del pecho, la caja torácica y luego el abdomen, y a la inversa durante la espiración. O hazlo al revés, sintiendo cómo se eleva la inspiración, de abajo arriba, primero en el abdomen.*

POSTURA SENTADA

CONCIENCIA RESPIRATORIA Y MEDITACIÓN

# Espiración prolongada

*Este ejercicio ayuda a activar la respuesta de relajación del sistema nervioso parasimpático, lo que lo hace ideal para tranquilizarte o relajarte antes de acostarte.*

Observa unas cuantas rondas de respiración, comparando la duración de la inspiración con la de la espiración. Cuenta los latidos de la inspiración, y prolonga la espiración para que dure varios latidos más (p. ej., sigue una inspiración contando hasta 6 con una espiración contando hasta 8 o 10). Continúa durante varias rondas y relaja.

POSTURA SENTADA

DECÚBITO SUPINO

# 3

# Prácticas
## de yoga diario

He aquí maneras de combinar las rutinas de la Parte 2 en prácticas completas. Las prácticas cortas tardarán en completarse entre 10 y 20 minutos; las largas, de 50 a 80 minutos. Cada práctica se centra en una zona distinta: zona media, región lumbar, etc. Completa cada práctica incluyendo uno o más ejercicios respiratorios o meditaciones.

## Fuerza y estabilidad de la zona media

Secuencia fluida con oscilación de pierna  p. 44

*Cambio
de lado*

La zona media dinámica  p. 76

*Cambio de lado*

# Fuerza y estabilidad del tren inferior

Seis movimientos de la columna, de pie  p. 32

*Cambio de lado*

*Cambio de lado*

Planchas y zancadas para la zona media  p. 72

*Cambio de lado*

*Cambio
de lado*

*Cambio
de lado*

# Flexibilidad y movilidad del tren inferior

Seis movimientos de la columna, en decúbito prono, con la rodilla flexionada  p. 42

*Cambio
de lado*

Torsiones en posición yacente  p. 88

*Cambio*
*de lado*

# Fuerza y estabilidad del tren superior

Seis movimientos de la columna, en decúbito prono, con la pierna extendida  p. 40

*Cambio de lado*

La zona media de la mesa  p. 70

*Cambio de lado*

*Cambio
de lado*

*Cambio
de lado*

*Cambio
de lado*

# Flexibilidad y movilidad del tren superior

Seis movimientos de la columna, con las piernas cruzadas  p. 36

*Cambio de lado*

*Cambio de lado*

Flexiones, extensiones y el camello  p. 82

*Cambio de lado*

*Cambio
de lado*

*Cambio
de lado*

# Relajación y recuperación

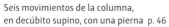

Seis movimientos de la columna,
en decúbito supino, con una pierna  p. 46

*Cambio
de lado*

Serie en pared  p. 90

*Cambio
de lado*

*Cambio
de lado*

# Equilibrio integral

Seis movimientos de la columna, en decúbito supino,
con las dos piernas  p. 48

*Cambio
de lado*

*Cambio de lado*

Secuencia de la postura alta de la montaña   p. 50

*continúa*

# Equilibrio integral *continuación*

Secuencia fluida de equilibrio de pie  p. 58

*Cambio de lado*

El bailarín/el árbol/la paloma/el águila  p. 68

*Cambio de lado*

*Cambio de lado*

*Cambio de lado*

*Cambio de lado*

Secuencia fluida de la cabeza a la rodilla  p. 78

*Cambio*
*de lado*

La cara de vaca/el
zapatero  p. 94

*Cambio*
*de lado*

# Fuerza y estabilidad de la zona media

Secuencia fluida con oscilación
de pierna  p. 44

*Cambio
de lado*

Planchas y extensiones de columna  p. 66

*Cambio de lado*

*Cambio de lado*

**La zona media dinámica** *continúa*
p. 76

**La zona media dinámica** *continúa* p. 76

# Fuerza y estabilidad de la zona media *continuación*

*Cambio
de lado*

El puente con bloque de yoga  p. 92

*Cambio de lado*

Inversiones soportadas  p. 100

# Fuerza y estabilidad del tren inferior

Seis movimientos de la columna, de pie  p. 32

*Cambio de lado*

*Cambio de lado*

Yoga en el aparcamiento  p. 52

Cambio de lado

Secuencia fluida del guerrero II  p. 60

continúa

**139**

# Fuerza y estabilidad del tren inferior *continuación*

*Cambio de lado*

Planchas y zancadas para la zona media  p. 72

*Cambio de lado*

Estiramientos con correa  p. 86

*Cambio de lado*

# Flexibilidad y movilidad del tren inferior

Seis movimientos de la columna, en decúbito prono, con la rodilla flexionada  p. 42

*Cambio de lado*

Secuencia fluida de la media luna  p. 62

*Cambio de lado*

«El mundo de Christina» p. 74

*Cambio de lado*

Serie de la postura lateral de la paloma p. 64

*continúa*

# Flexibilidad y movilidad del tren inferior *continuación*

*Cambio
de lado*

Torsiones en
posición yacente  p. 88

*Cambio
de lado*

# Fuerza y estabilidad del tren superior

Seis movimientos de la columna, en decúbito prono,
con la pierna extendida  p. 40

*Cambio de lado*

Saludos al sol  p. 54

*continúa*

# Fuerza y estabilidad del tren superior *continuación*

La zona media de la mesa  p. 70

*Cambio
de lado*

*Cambio
de lado*

*Cambio
de lado*

*Cambio
de lado*

La mesa/barcas/flexiones  p. 84

*continúa*

# Fuerza y estabilidad del tren superior *continuación*

*Cambio de lado*

Inversiones sin soporte  p. 98

# Flexibilidad y movilidad del tren superior

Seis movimientos de la columna, con las piernas cruzadas  p. 36

*Cambio de lado*

*Cambio de lado*

Secuencia fluida del guerrero I
p. 56

*Cambio de lado*

*continúa*

# Flexibilidad y movilidad del tren superior _continuación_

Secuencia fluida del guerrero II  p. 60

_Cambio de lado_

Flexiones, extensiones y el camello  p. 82

_Cambio de lado_

_Cambio de lado_

_Cambio de lado_

Extensiones de columna y el bebé feliz  p. 96

# Relajación y recuperación

Seis movimientos de la columna, en decúbito prono  p. 38

*Cambio de lado*

Secuencia fluida de la banda IT  p. 80

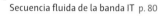

*Invertir la postura para mover la espalda hacia la izquierda*

Seis ejercicios de columna
reconstituyentes  p. 104

*Cambio
de lado*

*Cambio
de lado*

Piernas elevadas por la pared  p. 102

*Savasana* p. 106

# 4

# Organizar tu yoga diario

Practicar en casa a base de menús te permite disponer y combinar las rutinas de modo que se ajusten a tu nivel de forma, tus aspiraciones y el humor que tengas. Si ya estás practicando yoga, el programa "Yoga diario" será una buena opción con sugerencias creativas para tu despensa de yoga. Si tu frecuencia de práctica es unas cuantas veces a la semana, el programa "Yoga día sí y día no" te servirá para establecer una base y desarrollar tu apetito por el yoga diario. Si eres un atleta que trata de encajar múltiples sesiones semanales, el programa "Yoga dos veces a la semana" te ayudará a integrar el yoga en tu programa de entrenamiento, especialmente los días suaves o de recuperación. Sazona cada uno de estos programas a tu gusto con ejercicios respiratorios y de meditación.

# Yoga diario | Practicar todos los días te ofrece la oportunidad de dar a tu cuerpo lo que necesite, momento tras momento. Alterna entre prácticas cortas y largas, y no dudes en cambiarlas de acuerdo con cómo te sientas.

## Semana 1 | Ejemplo de programa de yoga

| | | |
|---|---|---|
| **DÍA 1** | **Equilibrio integral** | Seis movimientos de la columna, en decúbito supino, con las dos piernas  p. 48<br>Secuencia de la postura alta de la montaña  p. 50<br>Secuencia fluida de equilibrio de pie  p. 58<br>El bailarín/el árbol/la paloma/el águila  p. 68<br>Secuencia fluida de la cabeza a la rodilla  p. 78<br>La cara de vaca/el zapatero  p. 94 |
| **DÍA 2** | **Fuerza y estabilidad del tren superior** | Seis movimientos de la columna, en decúbito prono, con la pierna extendida  p. 40<br>La zona media de la mesa  p. 70 |
| **DÍA 3** | **Fuerza y estabilidad del tren inferior** | Seis movimientos de la columna, de pie  p. 32<br>Yoga en el aparcamiento  p. 52<br>Secuencia fluida del guerrero II  p. 60<br>Planchas y zancadas para la zona media  p. 72<br>Estiramientos con correa  p. 86 |
| **DÍA 4** | **Fuerza y estabilidad de la zona media** | Secuencia fluida con oscilación de pierna  p. 44<br>La zona media dinámica  p. 76 |
| **DÍA 5** | **Flexibilidad y movilidad del tren superior** | Seis movimientos de la columna, con las piernas cruzadas  p. 36<br>Secuencia fluida del guerrero I  p. 56<br>Secuencia fluida del guerrero II  p. 60<br>Flexiones, extensiones y el camello  p. 82<br>Extensiones de columna y el bebé feliz  p. 96 |
| **DÍA 6** | **Fuerza y estabilidad del tren inferior** | Seis movimientos de la columna, de pie  p. 32<br>Planchas y zancadas para la zona media  p. 72 |
| **DÍA 7** | **Relajación y recuperación** | Seis movimientos de la columna, en decúbito prono  p. 38<br>Secuencia fluida de la banda IT  p. 80<br>Seis ejercicios de columna reconstituyentes  p. 104<br>Piernas elevadas por la pared  p. 102<br>*Savasana*  p. 106 |

## Semana 2 | Ejemplo de programa de yoga

|  | | | |
|---|---|---|---|
| DÍA 1 | **Fuerza y estabilidad del tren inferior** | Seis movimientos de la columna, en decúbito prono, con la rodilla flexionada  p. 42<br>Secuencia fluida de la media luna  p. 62<br>«El mundo de Christina»  p. 74<br>Serie de la postura lateral de la paloma  p. 64<br>Torsiones en posición yacente  p. 88 |
| DÍA 2 | **Fuerza y estabilidad de la zona media** | Secuencia fluida con oscilación de pierna  p. 44<br>La zona media dinámica  p. 76 |
| DÍA 3 | **Fuerza y estabilidad del tren superior** | Seis movimientos de la columna, en decúbito prono, con la pierna extendida  p. 40<br>Saludos al sol  p. 54<br>La zona media de la mesa  p. 70<br>La mesa/barcas/flexiones  p. 84<br>Inversiones sin soporte  p. 98 |
| DÍA 4 | **Relajación** | Seis movimientos de la columna, en decúbito supino, con una pierna  p. 46<br>Serie en pared  p. 90 |
| DÍA 5 | **Fuerza y estabilidad de la zona media** | Secuencia fluida con oscilación de pierna  p. 44<br>Planchas y extensiones de columna  p. 66<br>La zona media dinámica  p. 76<br>El puente con bloque de yoga  p. 92<br>Inversiones soportadas  p. 100 |
| DÍA 6 | **Flexibilidad y movilidad del tren inferior** | Seis movimientos de la columna, en decúbito prono, con la rodilla flexionada  p. 42<br>Torsiones en posición yacente  p. 88 |
| DÍA 7 | **Relajación y recuperación** | Seis movimientos de la columna, en decúbito prono  p. 38<br>Secuencia fluida de la banda IT  p. 80<br>Seis ejercicios de columna reconstituyentes  p. 104 |

# Yoga día sí y día no | Practicar varias veces a la semana te permite encajar el yoga en tus jornadas con mayor flexibilidad; también te prepara para practicar la mayoría o todos los días.

## Semana 1 | Ejemplo de programa de yoga

| DÍA | | | |
|-----|---|---|---|
| **1** | **Equilibrio integral** | Seis movimientos de la columna, en decúbito supino, con las dos piernas  p. 48<br>Secuencia de la postura alta de la montaña  p. 50<br>Secuencia fluida de equilibrio de pie  p. 58<br>El bailarín/el árbol/la paloma/el águila  p. 68<br>Secuencia fluida de la cabeza a la rodilla  p. 78<br>La cara de vaca/el zapatero  p. 94 |
| **2** | **Libre** | Libre |
| **3** | **Fuerza y estabilidad del tren inferior** | Seis movimientos de la columna, de pie  p. 32<br>Planchas y zancadas para la zona media  p. 72 |
| **4** | **Libre** | Libre |
| **5** | **Fuerza y estabilidad de la zona media** | Secuencia fluida con oscilación de pierna  p. 44<br>Planchas y extensiones de columna  p. 66<br>La zona media dinámica  p. 76<br>El puente con bloque de yoga  p. 92<br>Inversiones soportadas  p. 100 |
| **6** | **Libre** | Libre |
| **7** | **Relajación** | Seis movimientos de la columna, en decúbito supino, con una pierna  p. 46<br>Serie en pared  p. 90 |

## Semana 2 | Ejemplo de programa de yoga

| | | | |
|---|---|---|---|
| DÍA | 1 | **Fuerza y estabilidad del tren superior** | Seis movimientos de la columna, en decúbito prono, con la pierna extendida  p. 40<br>La zona media de la mesa  p. 70 |
| DÍA | 2 | **Libre** | Libre |
| DÍA | 3 | **Fuerza y estabilidad del tren inferior** | Seis movimientos de la columna, de pie  p. 32<br>Yoga en el aparcamiento  p. 52<br>Secuencia fluida del guerrero II  p. 60<br>Planchas y zancadas para la zona media  p. 72<br>Estiramientos con correa  p. 86 |
| DÍA | 4 | **Libre** | Libre |
| DÍA | 5 | **Flexibilidad y movilidad del tren inferior** | Seis movimientos de la columna, en decúbito prono, con la rodilla flexionada  p. 42<br>Torsiones en posición yacente  p. 88 |
| DÍA | 6 | **Libre** | Libre |
| DÍA | 7 | **Relajación** | Seis movimientos de la columna, en decúbito supino, con una pierna  p. 46<br>Serie en pared  p. 90 |

# Yoga dos veces a la semana
**Proponte hacer un mínimo de dos prácticas a la semana, y verás los beneficios del yoga para tu cuerpo, tu respiración y tu mente.**

## Prácticas más largas | Ejemplo de programa de yoga

| DÍA | | | |
|---|---|---|---|
| **1** | **Equilibrio integral** | Seis movimientos de la columna, en decúbito supino, con las dos piernas  p. 48<br>Secuencia de la postura alta de la montaña  p. 50<br>Secuencia fluida de equilibrio de pie  p. 58<br>El bailarín/el árbol/la paloma/el águila  p. 68<br>Secuencia fluida de la cabeza a la rodilla  p. 78<br>La cara de vaca/el zapatero  p. 94 | |
| **2** | **Libre** | Libre | |
| **3** | **Libre** | Libre | |
| **4** | **Fuerza y estabilidad de la zona media** | Secuencia fluida con oscilación de pierna  p. 44<br>Planchas y extensiones de columna  p. 66<br>La zona media dinámica  p. 76<br>El puente con bloque de yoga  p. 92<br>Inversiones soportadas  p. 100 | |
| **5** | **Libre** | Libre | |
| **6** | **Libre** | Libre | |
| **7** | **Libre** | Libre | |

## Prácticas más cortas | Ejemplo de programa de yoga

| DÍA | | |
|---|---|---|
| **1** | **Fuerza y estabilidad de la zona media** | Secuencia fluida con oscilación de pierna   p. 44<br>La zona media dinámica   p. 76 |
| **2** | **Libre** | Libre |
| **3** | **Libre** | Libre |
| **4** | **Flexibilidad y movilidad del tren superior** | Seis movimientos de la columna, con las piernas cruzadas   p. 36<br>Flexiones, extensiones y el camello   p. 82 |
| **5** | **Libre** | Libre |
| **6** | **Libre** | Libre |
| **7** | **Libre** | Libre |

# Agradecimientos

Este libro no estaría en tus manos si no fuera por los miles de practicantes que me han ayudado a desarrollar este modelo secuenciado para estas rutinas. Gracias a todos vosotros. Quiero agradecer, especialmente a mis alumnos y a los participantes en el curso intensivo de formación para profesores de yoga, sus explícitas preguntas y su implícito desafío para hacer este modelo secuencial lo más claro posible para todo el mundo, profesor y practicantes por igual.

Gracias en particular a Wanda y Roy Williams, practicantes de gran dedicación que son testimonio de las posibilidades del yoga para ayudarnos a sentirnos un poquito mejor, sin excluir ninguna circunstancia, ya se gane o se pierda. Habéis sido maravillosos sujetos de prueba y musas en el desarrollo de estas rutinas. Por su amable capacidad de escucha, su constante seguirme la corriente en mis deseos de encontrar una analogía alimentaria en todas las situaciones, y su energía contagiosa tanto cuando es mi profesora como mi alumna, gracias a Alexandra DeSiato Marano. Tu dulce presencia hace que todas las experiencias sean más picantes.

Mis amigos de prAna son siempre de gran ayuda y generosos con el vestuario y su apoyo a mi trabajo. Os lo agradezco. Gracias a Hugger Mugger por los accesorios que empleamos en este libro.

Gracias al equipo de VeloPress: Iris Llewellyn, Casey Blaine, Vicki Hopewell, Dave Trendler y Connie Oehring; los correctores, de estilo, Jonathan Harrison, y ortotipográfica, Shena Redmond; los modelos Kirsten Warner y Rob Loud, y el fotógrafo, Seth Hughes.

Por último, gracias a mi socia y compañera en las labores didácticas, Lies Sapp, y a mi marido, Wes. Me encanta compartir comidas y hacer largas sobremesas con vosotros dos, y aprecio especialmente la manera en que cada uno de vosotros limpia la cocina después del lío que dejo montado cuando cocino.

# Los modelos

### KIRSTEN WARNER

Como devota practicante, sentida profesora y supermamá diosa yoguini, Kirsten se esfuerza por vivir su yoga tanto en la esterilla como fuera de ella. Vive en Boulder (Colorado).

www.kirstenwarner.com

### ROB LOUD

Rob es un practicante y profesor de yoga a tiempo completo que vive en Boulder (Colorado). Comparte su amor por la práctica del yoga a través de todas las conexiones.

www.robloudyoga.com

### SAGE ROUNTREE

Sage ama (y ama enseñar) una práctica que ofrezca al practicante tanto los desafíos apropiados como mucho confort, incluyendo un *savasana* extralargo.

www.sagerountree.com

# La autora

**Sage Rountree** cuenta con más de una década de experiencia en la enseñanza de yoga; es profesora de yoga experta registrada del nivel más elevado (E-RYT 500) por la Yoga Alliance. Forma parte del cuerpo docente del Kripalu Center for Yoga and Health e imparte clases de yoga y cursos de formación para profesores a escala internacional y *on-line*. Vive con su marido y sus hijas en Chapel Hill (Carolina del Norte) y es copropietaria de la Carolina Yoga Company, donde dirige los programas de formación de profesores de yoga de 200 y 500 horas. En esta misma editorial ha publicado *La recuperación del deportista*.

# Otros títulos publicados por **TUTOR**:

## DE LA MISMA AUTORA

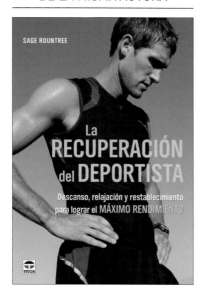

**La recuperación del deportista**

Cód.: 502105. Páginas: 232

Guía para lograr la plena recuperación y mejorar el rendimiento deportivo, examinando cuánto descanso necesitan los atletas, cómo medir la fatiga y cómo hacer el mejor uso posible de los instrumentos de recuperación.

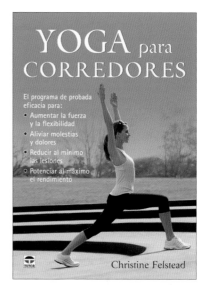

**Yoga para corredores**
*Christine Felstead*

Cód.: 500597. Páginas: 288

Este libro afronta las demandas tanto físicas como mentales de los corredores y les ofrece más de 80 posturas (asanas) descritas con todo detalle y centradas en las regiones musculares claves de estos deportistas.

# Otros títulos publicados por **TUTOR:**

**Anatomía del yoga**
*Leslie Kaminoff* y *Amy Matthews*
Cód.: 502104. Páginas: 288

La guía anatómica del yoga más vendida en el mundo, actualizada y ampliada con mayor número de ilustraciones anatómicas y más información.

**Programa de iniciación al yoga**
**Libro + DVD**
*Yolanda Pettinato*
Cód.: 700007. Páginas: 64 + DVD

Guía para iniciarse en Yoga de modo eficaz, con detalladas instrucciones y con más de 100 fotografías. Además el programa incluye un DVD con las posturas.

# Otros títulos publicados por **TUTOR:**

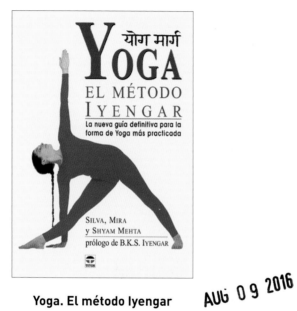

AUG 0 9 2016

### Yoga. El método Iyengar
**(3.ª edición)**
*Silva, Mira* y *Shyam Mehta*
Cód.: 500303. Páginas: 192

Libro de consulta indispensable para los seguidores del método Iyengar de yoga. Más de 100 posturas clave ilustradas paso a paso.

### Yoga Iyengar.
### Manual de iniciación
*B.K.S. Iyengar*
Cód.: 500373. Páginas: 160

La sabiduría del maestro Iyengar de más de 60 años de enseñanza vertida para los que se acerquen a su método. Con secuencias detalladas paso a paso de 23 posturas básicas.

Si desea más información sobre estos y otros libros publicados por Ediciones Tutor, visite nuestra página: **www.edicionestutor.com**